晨讀10分鐘

你的獨特，我看見

黃國珍 主編
飛飛飛 繪圖

輯一 我看見。

輯二

我思考。

輯三

我理解。

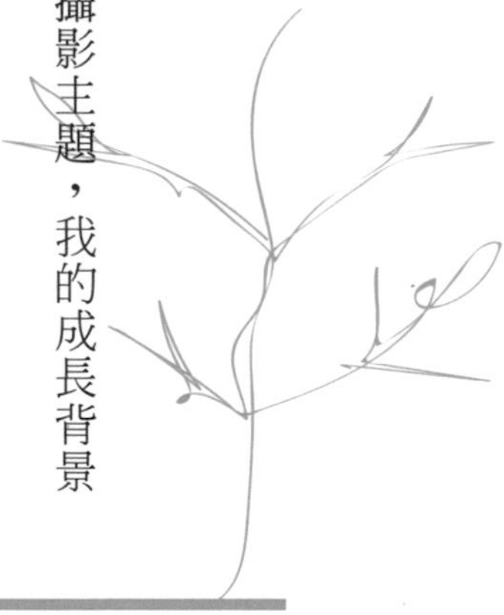

輯四

我超越。

—選編人的話—

出發吧！這世界正等待你去認識

■黃國珍

親愛的讀者：

謝謝你願意翻開這本書，這不是一本容易讀的書，但是容易的事你早就懂了，現在應該要讀一些你可能不熟悉的故事，開始思考將會對你影響很深的事。這世界許多重要的事都不容易懂，對大人們也一樣，更何況可以做到。但是若可以理解，而且可以做到，那便是「成長」。

這裡要談的「成長」並不是指年齡的增長或是生理的改變，而是心智上逐漸可以有自己的想法，並且理解他人的感受，做出合於情理的判斷，採取必要的行動。心智的成長是一件很「酷」的事，你問我為什麼？因為許多大人還不一定做得到啊！

你可能會問，為什麼許多大人做不到這件事？回答這問題之前，我想先問問你對於現在生活的世界有什麼感受？有什麼看法？會不會對這世界充滿困惑？當你在媒體上經常看到大人的世界充滿不同意見的爭吵，或者在網站上看到酸民們互相譏諷，你可曾思考過，為什麼會有這些爭吵與衝突的發生？

雖然我也是你眼中的大人，但是我也一直在思考這個問題，或許讓我們先從日常生活來嘗試探索這個問題吧！雖然這個世界上沒有一成不變的定律，也未必有絕對的標準答案，但是我相信討論與對話的過程，讓我們有機會視野更開闊，思考更深入，可以為事物找到彼此願意信服並接受的看法。

人我之間的「差異」容易辨識，卻不必然走向衝突

我們生活在一個以辨識「差異」來定位自己的世界。如果你仔細觀察，衝突的起因幾乎都是因為彼此間的差異。

的確！這世界存在許多隨處可見的差異：血緣不同、膚色不同、語言不同、出身不同、信仰不同、性別不同、文化不同、觀念不同、生活習慣不同……等，但是有差異不必然會有衝突，舉例來說，我喜歡吃西瓜，我朋友喜歡吃蘋果，我們有差異卻不會有衝突。

你可能會笑說：「吃水果這事沒什麼大不了啊，沒什麼好衝突的！」但若是如此，我們也可以不必因為膚色、宗教、族群的不同而有衝突啊。或許針對這幾個條件你會回答：「這不一樣啊，這些都有嚴肅的議題和歷史緣由，不見得可以放在一起談！」很好，從這回答來看，你認為水果之間的不同與族群之間的不同是有差異的，似乎再談下去好像就會發展成為我們之間的爭執了。

其實，前面那段討論若會讓我們之間發展成為爭吵的真正原因，不是對於水果與族群的差異比較，而是我們對自己觀點的堅持，失去理解對方的善意與包容，這才是爭吵與衝突的真正原因。在這社會中，人不是一座孤島，我們都需要與他人溝通。溝通的目的是促進雙方彼此了解，以辯倒對方為目的的溝通，並非真正的溝通。真正的溝通恰好相反，不僅願意顧慮對方的處境與感受，同時給予尊重，過程中有機會增加雙方的了解，讓自己的觀點不受限於偏執，更可能為自己的心靈與視野帶來加深與加廣的改變。

回歸到「差異」這個話題，我們每個人都具備不一樣的特質，每個生命都是獨一無二的奇蹟。若我們都能擁有這樣的基本認識，願意接受人我之間的差異，學習適當的溝通方式，尊重也就會自然發生。不過要做到這一點並不容易，連深知這道理的大人有時都無法做到。

人與人之間「差異」容易辨識，那除了人以外呢？

「以人為本」這四個字說明我們生活的這個世界，是以人的想法與需要為核心所建構出來的。人從這個核心思想出發，彰顯了人的價值，擴張了人的存在，關心人的延續。過去的我不曾懷疑過這觀念，直到有一次討論關於設計思考（Design Thinking）的簡報，讀到「以人為中心的設計思考」時，腦中忽然閃過了一句希臘哲學家普羅泰哥拉（Protagoras）的名言：「人是萬物的尺度」。這句話的意思是說：萬物的存在是相對於人的尺度而存在，合乎尺度的事物就存在，不合乎尺度的事物就不存在，世間萬物萬象，都是由人的感受與認知所定義出來，所以說人是萬物的尺度。但是這句話之中還隱藏了另一個值得討論的問題，就是「什麼是人的尺度」？如果沒有東西可以度量人的行為和思考，那麼以人為本的「人」就很難有客觀而一致性的判斷價值。這樣不確定的情況，人要如何作為萬物的尺度？你會用一把沒有標準的尺去丈量東西嗎？

什麼是人的尺度？是律法？是宗教？是道德？是普世價值？如果人是萬物的尺度，那不同的時代，不同的文化，不同的生存環境，不同的人形成的價值尺度標準都一致嗎？如果不一致，那麼用不同度量解釋萬物的結果將不一樣，世界也將在差異的認知中衝突失衡，從歷史和現今的世界看來似乎是如此。

「以人為本」的思考隱含以滿足人的需求為優先考量，並非奠基在萬物共存共生的想法。自然界裡沒有單獨存在的元素，也沒有任何生命體可以單獨存活。共生共存的狀態，似乎更接近自然萬物運行的道理。環視我們面對環境變遷所帶來的挑戰，「以人為本」的觀點或許要重新思考並建立在新的度量準則上——「萬物是人的尺度」。

從人與人、人與社會、人與自然的關係來看，區分差異有助於認識自己，可是畫下區分差異這條線若稍有不慎，就容易畫出自身偏見的立場。因此，比區分差異更進一步且重要的學習是由尊重、理解與寬容所形成的關懷，得以讓萬物連結在一起，生命被平等對待。當今最後一位曾在月球上行走的太空人尤金．塞爾南（Eugene Andrew Cernan）在今年初逝世，享壽八十二歲。這位太空探險先鋒生前說過一句值得深思的話，他說：「我在月球遙望地球，看不到任何國界，我想到地球就是一個整體，我的整個思想也就開闊了」。

本書在編輯架構上，從「我看見」、「我思考」、「我理解」、「我超越」四個逐漸提升的層次，選擇十九篇不同的生命故事，討論議題囊括：**【輯一、我看見】**看見人們在外表、生活習慣、性別氣質等外顯的差異，提醒我們重新「看見」那些被人忽略的重要價值；**【輯二、我思考】**聆聽街友、移工、新住民、原住民、死囚的生命故事，深刻思考現今社會中，長期陷落於因人數與價值差異所形成的結構弱勢困境；**【輯三、我理解】**選錄一些不斷在生活中試探、衝撞、切割、改變，追尋自我實現的故事；**【輯四、我超越】**思考真與假、是與非、生與死、當下與未來等哲學問題。

有些故事你會覺得很容易閱讀，也可能有些故事對現在的你而言有些深奧難懂，建議你放慢閱讀的速度，帶著好奇的心，試著扮演文章中的主角，同理他的心境。又或者先把書放下，走出門外，看看這個生活中每個獨一無二的生命，試著和你好奇的人聊一聊。你也可以針對某個議題，和學校同學或知心好友討論一下，然後再回過頭來閱讀這本書，相信你又會有不同的想法。

長大真是個奇妙的過程，不只是你的外表比之前長得更高、更強壯、更美麗，如果你願意在閱讀這本書的每一篇文章中，看見別人的生活，體驗之間的差異，思考不同的觀點，理解別人的感受，超越原本自己的想法，你也將因此變得豐富而與眾不同，這個過程與和收穫就是「成長」。這是我所擁有最珍貴的學習，也是你即將展開的探索之旅。

出發吧！這世界正等待你去認識它。

閱讀吧！許多故事將滋養你的心。

思考吧！獨一無二的你。

如果退步也可以是向前的話，
那麼人生就不會永遠只有一個方向，
也不會每個人都必須長成某一個樣子，
每個人都是爸媽最寵愛的兒女……

格外品

—呂政達—

格外品。

小女生名叫莫妮卡，有一張美麗的臉，配上兩顆圓滾滾的眼珠，爸爸常誇她，但她自己不這樣覺得。

焦點是鼻子，她的鼻梁上有一個勾勾，側臉看，鼻子就明顯的突現出來。這個鼻子遺傳自爸爸，從小，親戚見到都說，他們父女長得真像。

她有點不服氣，明明，她就是個女生嘛。

太像爸爸了，這樣好嗎？她讀過的故事中，有一則寫的是法國的大情聖西哈諾，此人才高八斗、武藝高強，但是天生有隻奇大的鼻子，旁邊的人都嘲笑他。在故事裡，他從小自卑，遇見傾慕的女子也不敢表達心意。

莫妮卡呢？從小學起，同學給她的鼻子取外號，她心裡從此有一個退縮的地方，見不到陽光。同學用小木偶皮諾丘一說謊就變長的鼻子來形容她的長相，偏偏她又是個最坦白的人。同學對她喊著綽號，她就不服氣的說：「我爸爸說，鼻子長的人最聰明了。」同學看著她，一臉不信的模樣，她就努力讀書，要證明爸爸的話是對的。

直到那天，和媽媽去買菜，在農夫市集中，她看到了那些長得不合規格、不討喜的蔬果品，有彎彎曲曲的小黃瓜、長歪的胡蘿蔔、表面好像月球表面的苦瓜，也有過於小顆，放在水果攤肯定賣不出去的蘋果。這個攤位把「賣相不佳」的蔬果全放在一起，反而成為一種特色。

老闆告訴他們，臺灣有三成的蔬果被列為「格外品」，也就是不合乎市場的規格，被淘汰下來的蔬果。以前這些「格外品」根本進不到市場，但這些蔬果沒有用農藥，雖然可能被蟲啃，長相不好看，卻特別營養好吃。老闆說，如果我們都只挑長得好看的蔬果，對自然資源來說，那也是一種浪費。

從此，到市場買菜，站在媽媽身旁當小幫手，老闆要幫他們挑一些好看的蔬果，莫妮卡會憐惜的說：「媽媽，沒關係，好吃就好。」她拿起一根小黃瓜，比了一下鼻子，好像那根小黃瓜就是她的鼻子。回家後，媽媽跟爸爸講起這件事，爸爸高興的說：「我家的莫妮卡長大了。」

唐朝的布袋和尚那句：「手把青秧插滿田，低頭便見水中天；六根清靜方為道，退步原來是向前。」以前她不大懂這首詩的涵義，自從在市場見到「格外品」後，她開始想，如果退步也可以是向前的話，那麼，人生就不會永遠只有一個方向，也不會每個人都必須長成某一個樣子，長鼻子的、短鼻子的、鼻子歪歪的，都沒有關係，都是爸媽最寵愛的兒女。

想起蔬果中有「格外品」，這個世界，其實就更加的隨喜了。

——原載自：《國語日報》，十版，二〇一七年四月七日。

想起蔬果中有「格外品」，
這個世界，
其實就更加的隨喜了。

呂政達

臺大國發所碩士，輔大心理系博士生。臺南市人，現居臺北。曾任《張老師月刊》總編輯、《自立晚報》藝文組主任及副刊主編、《信誼基金會學前教育月刊》主編、《魅麗雜誌》編輯總監、大學心理學教師等職。

文學創作內容包含散文、論述、心靈小品乃至政治相關書籍。獲獎無數，並被九歌出版社選為臺灣三十位散文代表作家之一。張艾嘉導演曾將其作品〈諸神的黃昏〉改拍成短片，收錄在電影〈10＋10〉中。

出版著作頗豐，著有《怪鞋先生來喝茶》、《丈夫的祕密基地》、《走出生命幽谷》、《偷時間的人》、《從霸凌到和解》、《孤寂星球，熱鬧人間》、《長大前的練習曲》、《我在打造他的未來》、《異考錄》、《爸爸，我們好嗎》、《不落跑老爸》、《錦囊》、《臺灣女兒》、《散步去吃西米露：飲食兒女的光陰之味》等四十餘種；其中《做個會發光的人》獲新聞局選為優良青少年讀物推薦，《與海豚交談的男孩》榮獲二〇〇五年《中國時報》開卷美好生活獎。

如何接納不完美，讓別人看見真正的你？

《格外品》這篇文章中，小女生莫妮卡有一張漂亮的臉，配上兩顆圓滾滾的眼珠，爸爸常誇她，但是她自己不這樣覺得……

你是不是有時候也會在心裡想：「我怎麼不像他那麼帥或像她那樣漂亮？大家都喜歡他們。」或「我怎麼那麼遜，他們都做得到，就我老是做不好。」我也有過這樣的經驗，那真是一種糟糕的感覺。但是我慢慢發現，如果我都只看見別人的好，我就會忽視自己的優點，一直陷在自己不夠好的想法中，既失去自信，也無法提升自己原有的特質，造成負面思考的循環。

看見別人身上自己所沒有的美好特質很重要，那正是促成我們成長與改變很重要的原因。不過，若是因此而不斷否定自己，並不是正面而積極的想法。

生活是悲是喜，是滿意或否定，主要取決於我們自己決定關注什麼事情，以及決定要如何看待生命中的不圓滿。人不可能是完美的，我們每個人都可能是某方面的「格外品」。請不要只看見自己所沒有的，試著看見我們所擁有的。我們有能力可以看見別人的美，我們就有能力發現自己的好。

這個親戚絲毫不客氣的對劉大潭的爸爸說：
你這小孩注定要當廢人了！將來只能當乞丐，
而且，也不可能有女人願意嫁給他，
這輩子就別作夢想結婚生子了。

用手走路的發明王

—劉大潭—

用手走路的發明王。

劉大潭，他是一個身高只有八十公分，用「手」走路的發明家。

在他三歲那一年，因為誤打了有問題的小兒麻痺疫苗，導致可怕的後遺症，腰部以下完全癱瘓，雙腿嚴重萎縮，從此不良於行。

在物資匱乏的民國四〇年代，像這樣出身貧家的殘障孩子，注定只能被放棄，周遭親戚街坊都認為他人生已毀，再也沒有希望。

因為殘疾，劉大潭的成長過程蒙受無數異樣眼光與羞辱。

他九歲那一年，有個親戚到家裡作客，看到劉大潭姿態怪異的在地上匍匐爬行，搖搖頭斷言以他這副德性，將來肯定找不到頭路，只能當乞丐，而且，也不可能有女人願意嫁給他，這輩子就別作夢想結婚生子了。這個親戚絲毫不客氣的對劉大潭的爸爸說：「你這小孩，是注定要當廢人了！」

儘管劉大潭生性樂觀，但這番刻薄話還是讓他非常受傷，忍不住躲回房間痛哭一場。

哭了一陣子，他越想越不甘心，擦乾眼淚，拿出一張白紙，在白紙上畫了三個圖案，分別是：一頂學士帽、一個大碗公，以及一個小嬰兒，在這三個圖案旁邊，他還寫下了一個數字：「30」。

這三個圖案，象徵了他的三大人生目標：第一，他一定要拿到大學文憑；第二，他將來要找到能夠養活自己的大飯碗；第三，則是要結婚生子。而寫在圖案旁邊的數字「30」，則意味著「要在30歲之前完成這三個目標」。

在劉大潭那個年代，這三個願望即使健全人也不容易達到，更何況是殘疾人？

但劉大潭不想向命運低頭，他把這張圖畫紙貼在房間門上，提醒自己絕對不要忘記。就算全世界都放棄他，他也不會放棄自己。

苦撐完成「大飯碗」與「學士帽」

雖然立下了宏願，但實行起來，卻是滿路荊棘。「但我從小就有那種『敢想、敢要、敢得到』的性格，只要我自己想做的事，我就會用盡全力去爭取。」劉大潭說。

劉家家境不好，所有人都勸劉爸爸別浪費資源給這「已經沒路用的」孩子讀書，就連劉大潭媽媽也擔心兒子上學會被欺負，遲遲不肯帶他去註冊，但劉大潭意志堅定，死纏爛打懇求父母讓他上小學。

劉爸爸拗不過兒子，加上遇到了一個很肯幫忙的小學校長，這才勉強答應讓劉大潭上學。劉大潭也非常珍惜這得來不易的學習機會，小學、國中階段都是全校第一名畢業，就學期間也都是學雜費全免，完全沒給家裡添負擔。

但是，上了高工以後，卻面臨繳不出註冊費的窘境，為了能夠繼續升學，劉大潭只好寒假賣春聯、暑假去鐵工廠當工讀生幫人畫機械圖籌措學費，雖然辛苦，但為了圓夢，劉大潭還是咬牙苦讀，最後還是以第一名畢業。

因為經濟壓力，劉大潭很清楚，自己無法就讀日間部大學，但他並不打算放棄學士夢，決定先出工作幾年，等到經濟穩定了，再去念大學夜間部，但這時候問題來了，這個從小到大都以第一名畢業、擁有多張證照、拿過全國技能競賽冠軍的優秀學生，在求職市場卻慘遭滑鐵盧，公司行號根本不想瞭解他的實力，只是看他身體殘障就直接拒絕，甚至還曾在公司門口就被警衛用掃把趕走：「走走走！我們老闆最討厭看到乞丐了！」

劉大潭前前後後一共被近兩百家公司否定，最後才遇到一個願意給他機會的老闆。他要老闆給他三個月試用期，若之後仍不滿意，他願意不拿一毛錢薪水。

那三個月中，劉大潭每天都戮力工作，積極求表現，別人畫一張設計圖，他可以畫六、七張，結果，三個月過後，老闆不但要繼續留任他，還直接幫他加薪，破格升為設計組長。

為了感激老闆的知遇之恩，劉大潭加倍努力工作報答公司，因為他的設計能力出眾，幫公司賺進不少財富，短短三年時間，公司就從十幾人的小工廠，成長為上百人的中小企業，他本人也一路從設計組長、設計課長，升遷至研發部經理，那一年，他才二十六歲，月薪比當時公司的總經理還多。

他很有骨氣的說，「我這一輩子，從來沒有領過一毛錢殘障津貼，我現在所擁有的，都是我自己努力掙來的。」

自己的幸福自己追

在這家公司任職期間，他也完成了逢甲大學機械工程系夜間部的學業，九歲許下的三個願望中，「大飯碗」與「學士帽」都實現了，但「小嬰兒」這個願望，牽涉到另一個家庭，遠比前兩者還要困難許多。

劉大潭雖然有女朋友，但對方家長強烈反對。他的高中學妹張秀惠很欣賞劉大潭的上進與樂觀，完全不在乎他是個殘障人士，仍願與他廝守一生。

可是，張秀惠的爸爸完全無法接受好手好腳的女兒，竟然要嫁給一個「用手走路」的男人，極力阻撓，希望能拆散他們。

這是劉大潭意料中的事，他並不灰心，就像他過去做任何事一樣，設定目標與方法，「別人追女朋友若只要花一年，我就花六年！」

他一方面努力工作爭取更好的表現，希望能夠讓女方家長放心，自己絕對不會窮途潦倒、拖累他們的女兒；另一方面，則採取「地方包圍中央」的策略，拜託好幾位朋友「滲透」到張家，幫他美言幾句。

不過，秀惠的父親仍不為所動，甚至還積極幫女兒安排相親，劉大潭見事態緊急，鼓足勇氣主動約了秀惠父親懇談。秀惠父親雖然不想把女兒嫁給這個臭小子，但是對於劉大潭不屈不撓主動求親的膽識，倒也有幾分佩服。

劉大潭出示寫有月俸的薪資袋，證明自己能夠獨當一面，一定會給秀惠幸福；加上用情至深的秀惠，在現場也流露出難分難捨的神情，最後，終於軟化了秀惠爸爸的態度，決定成全這對有情人。劉大潭大喜過望，打鐵趁熱，三週內就把這門婚事辦妥，把秀惠娶進門。婚後，兩人還生了三個可愛的女兒，誰說他注定只能當乞丐、注定此生孤獨呢？「我雖然殘障，但我相信，只要我夠努力，我就有爭取幸福的權利。」劉大潭說。

關懷，是發明的初衷

劉大潭最難得的一點是：他一直期許自己能夠成為一個「手心向下」的人。他辦公室裡懸掛了兩個大字「關懷」，這兩個字就是他創業的初衷。

三十年前，他剛創業時，有一天在電視上看到一則重大火災新聞，幾個大學生不幸葬生火窟，他們的母親們趕到現場抱頭痛哭，劉大潭看了心都揪了起來，他心想，若是能夠設計出一種高空逃生的機械設備，這些家庭就不會破碎了。

劉大潭花了許多心力構思，最後設計出「免電源高空緩降機」，這項發明是他的代表作，不但榮獲國際發明獎，更獲得許多知名機構採用。除了高空緩降機，劉大潭的幾項重要發明，例如「耐高溫橢圓蝶閥」與「微電腦六通閥」，都是基於「關懷」這個出發點而設計的，前者是為了解決空氣汙染問題，後者則是為了節省水資源，避免超抽地下水引起地層下陷。

因為自己飽嚐過被拒絕的滋味，他這幾年還成立了「劉大潭希望工程關懷協會」，蓋庇護工廠幫助那些身殘但腦不殘的身障人士，培訓他們做研發、設計、繪圖、製造等工作，「我希望那些跟我有類似處境的人，也能像我一樣找到自己的舞臺。」劉大潭說。這個曾被斷言是「廢人」的孩子，不但最後大放異彩，還要幫助更多弱勢者擺脫宿命，找回自信與尊嚴。

如果人生像一場牌局，那麼劉大潭就是一開始拿到滿手爛牌的人，但是，無論遇到任何困難，他始終堅信「目標＋方法＝解決問題」這個人生公式，憑著過人的努力與毅力，硬是把這一手爛牌，打成了個漂亮的逆轉勝。

——原載自：《用手走路的發明王：身障發明家劉大潭》，李翠卿著，親子天下出版，二〇一七。

作者介紹

劉大潭

國內知名身障發明家，出生於臺灣南投縣，逢甲大學機械工程學系畢業，靜宜大學榮譽博士，現為速跑得機械工業股份有限公司董事長。他曾獲得德國紐倫堡發明展金牌等多項發明大獎，又因為滿腦子發明創意，能將過去所學學以致用，也在大學裡教書，因此常被人尊稱為「劉教授」。二〇〇八年獲選為逢甲大學第十屆傑出校友。

劉大潭因為感同身受社會弱勢族群的痛苦，目前正在高雄市建造全臺第一間以「設計」為導向的無障礙庇護工廠，未來可提供給身障人士「職能培訓、潛能開發、工作機會」的舞臺，他期待未來能將「關懷」的力量，傳播到社會的每個角落，也希望藉此培育更多「劉大潭」來貢獻社會。（本文取自《用手走路的發明王》作者簡介）

你所看見的，
真的是你看到的
那個樣子嗎？

你看見的，真的就是你看到的那個樣子嗎？

當你看到一位身障者，在你的想像中，他會過著怎樣的生活？大部分的時候，你可以從他當下的衣著和從事的工作判斷他的生活條件如何，或許那是你固有的想法，認為身障者的生活必定辛苦也充滿挑戰。這是事實，他們的生活一定不像我們便捷，生活中也必須承受許多旁人的眼光。

走在街上，偶爾會遇到殘障人士向我兜售面紙、原子筆或抹布，我不一定每次都會買，但是心裡總會想：「他們只能選擇這樣辛苦的工作嗎？」如果有機會可以選，為什麼他會選擇這項工作？我沒有答案，但是劉大潭先生用他的故事回答了這個問題。一個出生在民國四〇年代貧窮的殘障孩子，大部分人的觀念正如他的親戚所說：「你這小孩，是注定要當廢人了！」但是面對這樣無情的嘲諷，劉大潭雖然難過卻不氣餒，他超越了身體的障礙，辛苦完成人生「掙得飯碗」與「戴上學士帽」的願望，更軟化了女友父親原本堅決反對的態度，成全這對有情人實現結婚生子的夢想。

上天給予每個人的條件都不同，對此我們只有接受的分，即使抱怨也沒用，表面上看來似乎很不公平，但事實未必是如此的，英文有句很有意思的諺語說：「誰說生活是容易的？」（How say life is easy?）每個人無論出身條件如何，終其一生中仍會遭遇大同小異的各種挑戰。因此面對未來，重點不是你的先天條件好不好、公不公平，而是你如何看待自己，要給自己什麼樣的機會。

親愛的讀者，關於自己，你看見的是什麼呢？關於先天條件的不足，你覺得它是命中註定一輩子的限制，還是人生出發的起點？

或許身體上的障礙顯而易見，但其實心理上的障礙，往往才是侷限我們設定目標、實現夢想的最大因素。無論你站在一個什麼樣的起點，你願意像劉大潭一般，給自己一個機會，勇敢去創造無限可能的未來嗎？

認識我的人都說我很愛笑。他們說我無論何時，
臉上總是漾著靦腆、單純、無心機的燦爛笑容。
有人說，我的氣質好像太「陽光」了，
跟他們想像中的盲人形象很不一樣……

在愛裡，我逆著光飛翔

—黃裕翔—

在愛裡，我逆著光飛翔。

我是一個早產兒，一生下來就雙眼全盲。一般人可能認為這真是一種悲劇；但絕大多數的時候，我都覺得我是快樂、幸福的。

幾年前，阿吉（短片《天黑》、電影《逆光飛翔》的導演張榮吉）說要用我的故事來拍一部電影時，我告訴阿吉：「叫我演什麼都可以，但就是不要叫我演哭戲，因為我哭不出來呀。」

我之所以能夠擁有快樂的能力，是因為我有一個很堅強，而且很愛我的母親。我剛出生時，媽媽並不知道我的眼睛有問題。直到我兩個多月時，媽媽意識到我眼睛的焦距有點不對，拿了一支手電筒照我，發現我的眼睛跟隨光線的動作明顯遲緩，她心中暗覺不妙。隔天，便帶我走訪各大醫院進行檢查。

由於我的視神經是健康的，一開始並沒有查出毛病，有些醫生甚至說我的眼睛根本沒問題。但媽媽每天跟我朝夕相處，她十分肯定我的眼睛一定有異常。

其中一個醫生說，可能是視神經還沒有發育完全，建議媽媽讓我看一些紅色的東西來刺激發育，說不定會有所改善。媽媽戒慎恐懼的照辦了，但無論我「看」了多少紅色的物品，眼神依舊空洞茫然。

我四歲那一年，真相終於大白。原來，因為早產的緣故，我的眼睛有「視網膜細胞色素病變」，只具有些微光感，沒辦法看到任何東西。這個病目前仍無藥可醫，我注定一輩子失明。

當媽媽聽到醫生確診結果時，傷心欲絕，她形容自己「就好像是被判了死刑一樣」。媽媽說，如果可以交換，她寧願自己瞎眼，把她健康的眼睛換給我。

但，這畢竟是不可能的，她能做的，就是為她心愛的盲兒子，找到一條未來的出路。

在愛裡成長的童年

因為早產造成我的失明，媽媽心裡一直很歉疚，加倍用心呵護我，她把她的人生全給了我。

有些父母會把身有殘疾的孩子「藏」在家裡。但我媽媽不是這樣，我小時候，媽媽每天都會帶我去公園玩耍，或是去逛量販店，到處接觸人群。不只媽媽，許多親人都很愛護我。我是媽媽娘家家族最小的一個孩子，深受外公、外婆、舅舅、阿姨等長輩疼惜，經常帶各種禮物來看我，我的第一部鋼琴也是阿姨留給我的。

因為我天生就失明，無法比較看得見跟看不見的差異，自然不會有強烈的相對剝奪感。加上有家人的愛圍繞，我的童年其實過得很幸福。到了上幼稚園的年紀，媽媽原本想讓我和姊姊念同一家幼稚園，但一般幼稚園不肯收盲生。還好那一年剛好趕上臺中啟明學校附設幼稚園第一屆招生，我才有學校念。

臺中啟明學校附設幼稚園離我家很遠，媽媽每天得先騎車載我去火車站，再搭火車到豐原，之後還要轉車到后里，光是單程的通勤時間，就長達一小時。媽媽不但送我過去，甚至一整天都留在幼稚園全程陪我，因為她的慈愛與陪伴，我雖然看不見，但一直是比較有安全感的孩子。

只是，家裡若有一個身障的孩子，難免就會瓜分掉其他手足應該獲得的關照。在媽媽心中，她對我和姊姊的母愛並無二致，手心手背都是肉；但因為我失明，她沒有選擇，必須放更多心思在我身上，相形之下，經常就冷落了姊姊。

姊姊和我只差一歲，我念幼稚園小班時，姊姊在念中班，也還是很黏媽媽的脆弱年紀。可是每天早上，媽媽把她帶到幼稚園以後，就得匆忙離開，帶著我趕火車去豐原。有一次，姊姊不知道為什麼，一直緊緊拽著媽媽衣服，不願進幼稚園。媽媽心裡雖然萬般不捨，但只能硬下心腸，把哭哭啼啼的姊姊拖進教室交給老師，然後帶著我離開。事隔多年，媽媽想到那一幕，心裡還是會隱隱作痛。

姊姊小一時，學校只上半天課，她下午得獨自去上安親班；而同一時間，媽媽卻留在后里守著我。我想，在她幼小的心靈裡，應該也曾經感到不平衡吧？同樣都是媽媽的骨肉，為什麼待遇差別這麼大呢？

對於姊姊，我心裡是有些內疚的。要不是因為我失明，也不會分掉那麼多媽媽的注意力。幸而姊姊是個善良開朗的女孩，縱使幼時有點委屈，長大後卻很能體諒媽媽的難處，對我也十分友愛。我最愛姊姊的一點就是：姊姊完全把我當成一個正常人看待，並不會因為我失明就對我小心翼翼。我們平常在家都嘻嘻哈哈、打打鬧鬧，跟姊姊在一起時，我從來不覺得自己是一個有缺陷的人。

大部分盲生都是從小就住校念啟明學校，我卻是直到國二以後，才開始念啟明學校國中部。國小時，媽媽讓我參加「盲生走讀計畫」（即視障兒童混合教育計畫），跟正常同學一起念一般小學。

就像是肢障生會被笑「掰咖」（跛腳）一樣，視障生的成長過程中，一定有過被稱為「青瞑」（瞎眼）的經驗。一開始被這樣說時，我很難過，回家跟媽媽哭訴，媽媽溫柔的安慰我：「裕翔本來就看不見，人家叫你『青瞑』，也沒什麼不對啊，不要覺得人家是在罵你。」

我轉念一想，可不是嗎？雖然這個名詞聽起來頗有貶抑意味，但，我確實是個看不見的人。既然這是事實，與其為別人的言語耿耿於懷，還不如學著接納自己。

用聲音來認識世界

聲音，是我認識世界最重要的途徑。

媽媽常說，老天爺對我很好，給了我一個很棒的天賦。

三歲時，我僅憑著「聽」表姊練琴，之後就可以憑著音感，自己在琴鍵上摸索，彈出類似的音符，甚至熟練了以後，可以完整彈出一段旋律。

我這個「特異功能」讓媽媽又驚又喜。我家家境普通，但為了栽培我，她投入所有資源，積極幫我找鋼琴老師。這並不容易，大多數老師一聽到我是盲人，不是當場婉拒，就是刻意抬高價錢，希望我們知難而退。好不容易，才找到一位願意嘗試教我的韓老師。

一開始，韓老師心裡也有點忐忑，但我們很快就進入狀況。韓老師讓我把手搭在她的手背上，去感覺彈琴的正確指法，她彈兩小節以後，我再跟著彈一遍。雖然，我看不見五線譜，但我的音感跟記性都很好，早已牢牢記住每一個琴鍵的音色，只要老師彈過一次，我通常就能跟著演練一次；甚至，聽過一次的音樂，我就能夠自由改編。

除了韓老師，我後來也跟著幾位老師學過琴。每個老師的反應都很類似，一開始有點擔心，教幾堂課以後就放心了，有些老師還說我比一般小孩好教多了。

曲折的學藝過程

只是，對盲生而言，就算有天分，學音樂的過程仍然比別人艱辛許多。從小到大，媽媽只要打聽到哪個學校的音樂班好，就會設法幫我報考。可是每個音樂班都不願意收盲生，認為盲生不能視奏，一定無法勝任。無奈之下，媽媽只好讓我念普通班或啟明學校，再省吃儉用，另外聘請鋼琴老師到家裡教我。

到了大學階段，想要報考音樂系時，再度遇到瓶頸。當時，國內絕大多數大專院校的音樂科系，都有個不成文的規定：不接受盲生主修鋼琴。

所幸，一路上提攜我的貴人很多。我在啟明學校擔任合唱團的伴奏，當時的合唱團指導老師王明理老師，對我青睞有加，在我高三那一年，特別推薦我為總統教育獎候選人。

啟明高中當時的校長張自強先生，素來雅好藝術與音樂，也一直很欣賞我。為了讓我能夠順利進音樂系，他在銓敘部長蒞校訪問時，特地安排我上臺表演，並向部長反映我遭遇的困難。幾經波折，我才終於進了臺藝大音樂系，成為全國第一位主修鋼琴的盲生。

大一的震撼教育

不過，上大學的第一個學期，就遇上了「震撼教育」。入學那一年，剛好學校大興土木，導盲磚都掀了，媽媽不放心，頭一個月陪著我去學校適應環境，還為我特別去拜託老師，安排同學帶我上下課。

剛從入學考試的牢籠逃脫，很多新鮮人都迫不及待想要自由，有幾個同學可能覺得被我「綁著」，實在很麻煩，非常不情願。有一次下課後，全班一哄而散，把我孤伶伶的留在教室。媽媽沒等到我，心急如焚的問應該要帶我的同學：「裕翔呢？」可能對方覺得有點被冒犯，竟沒好氣的說：「黃媽媽，為什麼我們一定要帶黃裕翔上課？難道他自己不能用盲杖嗎？」

這幾個同學，後來甚至刻意把我排除在外，召開了一次班會，會議主旨就是討論「為什麼他們有義務要帶我去上課」。

我相信有些同學是想幫我的，但大家都是新生，在這些意見領袖的氣焰下，暫時都不敢伸出援手。加上頭一個月媽媽還陪在我身邊，大家也不好意思來跟我打交道，個個離我遠遠的。

媽媽目睹這種情況，非常憂心。她恨不得能像我幼稚園時那樣，一整天留在我身邊照顧我，但我已經上大學了，她不能像從前那樣對我寸步不離，這樣只會讓我跟其他同學更疏離。

從小到大，我一直被保護得很好，沒碰過「壞人」，突然被丟到一個充滿敵意的陌生環境，我既害怕又無助，好後悔上大學。甚至在媽媽面前委屈得掉淚，說我不想念了，但媽媽哽咽著要我忍耐，繼續熬下去。

我硬著頭皮念了半個學期，一開始，大家對我敬而遠之，班上有活動不找我，連系上迎新我都沒被邀請；而我自己的個性本來就比較內向寡言，不太敢跟人交際，前半年，日子真的很寂寞。雖然，後來陸陸續續有一些熱心的同學主動來幫我，但我還是很不適應大學生活，一直想放棄。

幸好，因為學長兼好友阿吉的一番話，才解開了我的心結。

我跟阿吉是在總統教育獎面試時認識的，當時他在念研究所，對我印象很深刻。會後他來找我，說他很想以我的故事為主軸，拍攝一部電影，之後我們就成為莫逆。當時，他也是我在學校唯一的朋友。

有一次，我們一起吃晚餐，聊著聊著，又講到我失意的大學生活。阿吉花了一整晚的時間，不斷鼓勵我，要我不能輕言放棄：

「你要走出來，難道你希望一輩子都只能困在家裡嗎？」

「不要把心思都黏在那些對你不好的人身上，多想想那些對你友善的人。」

「就算人家沒來理你，你也可以主動出擊，去跟人家交朋友啊。」

阿吉的話點醒了我。對啊，我為什麼一定只能被動等待救援、等待友誼呢？我為什麼不試試看主動創造友誼呢？

大一下開始，我試著融入團體生活，主動與人交往，而且，目的不是為了想依靠對方，而是為了想了解對方。在這個過程中，我慢慢領悟了「境隨心轉」的道理，當我願意用開朗、誠懇的態度擁抱這個世界時，自然就會吸引更多人來親近我。

畢業那一年，媽媽來參加畢業典禮，驚訝的發現，我的朋友竟然這麼多！師長還在媽媽面前大大誇獎我：「裕翔的人緣真好！上至校長，下至工友，大家都好喜歡他。」對照大一時落落寡歡的處境，真是天壤之別。

在學期間結交的朋友，後來也成為我事業上的貴人。我跟馬場克樹[1]等好朋友，合組了一個「爸爸辦桌」樂團（BaBa Band）。透過這些藝文圈好友的牽線，畢業後我不但得到許多演出機會，還接到不少廣告編曲或戲劇、電影配樂的案子，甚至後來還演了電影。

我從不知道事情會如此發展，我只是像電影裡說的：想試著不靠別人，看看自己可以做到什麼程度。我現在明白了，原來，只要勇敢踏出去，就有無限多種可能性。

——原載自：《親子天下》第四〇期，李翠卿採訪，二〇一二。

註1　日本人，畢業於國立北海道大學中文系，擔任二十餘年外交官工作，退休後定居臺灣，組成「爸爸辦桌」樂團，用走唱人生散播歡樂與愛。

黃裕翔

臺中人，熱愛音樂。曾就讀於國立臺灣藝術大學音樂系，是全國第一位主修鋼琴的盲生，並曾獲第三屆總統教育獎。目前在臺中市盲人福利協進會的「黑墨鏡樂團」、「爸爸辦桌樂團」（Baba Band）擔任鋼琴手。

二〇一二年，張榮吉所導演、改編自黃裕翔成長歷程的電影《逆光飛翔》，獲頒金馬獎年度臺灣傑出電影工作者獎榮譽。近年來，黃裕翔積極參與不少影視作品的配樂工作，包括《奇蹟的夏天》、《青春啦啦隊》、環保聯盟紀錄片，以及APP軟體「邦妮早午餐」。（本文取自《在愛裡，我逆著光飛翔》作者簡介）

當你看不見這世界，你還能快樂的起來嗎？

黃裕翔是一位早產兒，一生下來就雙眼全盲，換作是你，你會怎麼看待自己的命運呢？我在讀這故事時，讀到他跟阿吉導演說：「叫我演什麼都可以，但就是不要叫我演哭戲，因為我哭不出來。」看到這裡，原本我以為他之所以哭不出來，是因為他對自己的遭遇感到太過悲哀，以至於再也哭不出來，沒想到他卻說：「我之所以有快樂的能力，是因為我有一個很堅強，而且很愛我的母親……」，才看到這裡，我就感覺眼眶有淚水在打轉。

黃裕翔成長的過程跟我們一般正常人比較起來辛苦好多，不僅要跨越看不見的困難，還要承受身旁的異樣眼光與差別對待，克服自己不斷陷入想放棄的困境。幸運的是，在他的生命中有好多人包括媽媽、姊姊、家族親人、阿吉、韓老師、張自強校長……等，都能以不同的眼光「看見」他的天分，讓他在音樂和電影上獲得發揮才能的機會並且倍受肯定。固然如他最後所言：「勇敢踏出去，就有無限多種的可能性」，但是身旁的人願意看見他的天分，才能促成他生命巨大的改變。

你「看見」了什麼，不僅決定了你自己前進的軌跡，更有可能改變他人的命運！親愛的讀者，你「看見」了什麼？

如果你問我未來的夢想，
我最想擁有的是一個很安心的家庭，
家裡有良好的互動，不要太常吵架，
希望生幾個小孩，過著平靜的生活。

我的11年移工青春

| Liena |

我的11年移工青春。

我叫 Liena，今年剛好滿三十歲，前幾個月我剛結束在臺灣一共九年的工作，終於回家了，現在正準備婚禮，下個月我就要結婚了！

以前我們家裡很窮，連房子都是壞的，門有破洞，屋頂還漏水，而且房子的產權也有點問題，媽媽一直要和別人借錢打官司，但常常借一萬要還一萬三，如果沒有馬上還就會越欠越多錢。那時我十八歲高中畢業，當然沒有錢讀大學，所以我一直告訴自己要趕快賺錢，讓家裡有安全和幸福的感覺，不想爸媽每個月都去借錢，家裡常常有討債的人上門。

當時是我第一次有想要出國工作的念頭，我剛開始想去臺灣，但我爸爸不肯，因為臺灣的宗教信仰不是伊斯蘭教，他怕我不能每天拜拜，會吃到不該吃的食物，而且我爸爸很嚴格的要求我包頭巾，完全不能露身體給外人看，但在臺灣工作可能沒辦法這樣。

從沒想過一出國，就是十一年

第一次出國我選擇了阿拉伯，在那裡工作了兩年，但其實在那裡很難存得到錢，一個月只能存不到六千塊臺幣寄回家。靠我維持家裡的生活費根本不夠，連吃飯都有問題，還得跟鄰居借錢才能過活。

我到阿拉伯工作的第一個月就不想做了，因為實在太累了，每天早上四點起床，一直工作到半夜一點，每天都沒有休息時間。

我那時每天都在哭，也不會講阿拉伯話，一直覺得很孤單，每天半夜哭完就睡覺，早上再起來工作。工作了兩年，我的手和腳全部都受傷流血，因為冬天很冷，雙手一直泡在冰冷的水裡洗碗。還記得剛回印尼時我媽媽看到我的手就哭了，每天都幫忙按摩我的手。

在阿拉伯唯一的好處是每一年可以跟著老闆去麥加朝聖一次，如果要從印尼去麥加費用很貴，根本是不可能的夢想，這是當我工作累到快要受不了時，讓我堅持下去的最大動力。

兩年後，我回到了印尼，只待了一個星期我就馬上去仲介公司申請去臺灣工作，因為我每天都試著說服爸爸，跟他說我會好好照顧自己、保護自己，就算在臺灣也會做一個好的穆斯林。

剛到臺灣我還是很緊張，完全不會說中文，只會講「謝謝」和「早安」，在老闆家我只要一看到老闆夫婦，就會馬上站起來雙手交叉放在前面，然後鞠躬說「你好」，反正我想這是仲介教的一定不會錯，但老闆娘就一直笑著說我好奇怪。有次半夜老闆和小孩回來，我在客廳的沙發上睡覺等他們回來，一聽到開門的聲音我就跳起來說：「你好」，他們都嚇死了，哈哈。

我覺得我很幸運的是，來到臺灣可以碰到好老闆。

奶奶會拉著我的手去指各個物品教我說中文，她會教我說：「這是盤子，那是杯子」，甚至還會教我「捲舌」，她會要求我講得很標準。我也常跟奶奶一起看電視，但我完全沒有看畫面，全部都在看字幕聽聲音，這樣學中文比較快。奶奶也把我當成孫女一樣看待，如果她心裡難過時都會跟我講，我就會安慰她。

我工作前三年一天都沒有放假，也完全沒有任何印尼朋友，連出去倒垃圾都馬上回來。但老闆都會給我加班費，讓我多賺一點錢寄回家，每兩個月老闆也會帶我去比較遠的地方玩，臺中啊，高雄啊，有時候還會坐高鐵。

只是有次很多老闆的親戚來家裡，我聽到一個阿姨說不能對我太好，怕我會逃跑，他們以為我聽不懂中文，但我其實都聽得懂。那時我有點難過，因為我一直一直很努力工作，對老闆跟奶奶都很好，我想不透，為什麼他們不相信我？

第一次回家站在家門口，我的心都碎了

後來我把前三年在臺灣賺的錢存下來，幾乎都寄回家給家人買地跟蓋房子，常常跟媽媽通電話時，她說我們的新房子已經蓋好了，很漂亮，我心裡一直很開心，也好期待趕快回家看看。好不容易等到三年工作合約結束，第一次有機會回家時，當我站在家門口，簡直嚇呆了，房子根本還沒好，只有圍牆而已，中間都是空的，原來我寄的錢根本不夠用。還有更糟的是，當我回印尼時我才知道，爸爸已經去世了，媽媽一直瞞著不跟我講，怕我人在外地會擔心，也怕我想回家，但是家裡實在太需要我在臺灣賺錢了，不然沒錢根本活不下去。我當時沒有掉眼淚，但心裡一直在偷偷哭泣，但我趕緊收拾起悲傷的心情，告訴媽媽，我要馬上再回臺灣工作。

現在的我，已經在國外工作了十一年，家裡的經濟也慢慢穩定，我媽媽一直想要我回印尼結婚，因為我已經三十歲了。所以我決定要回家了，媽媽

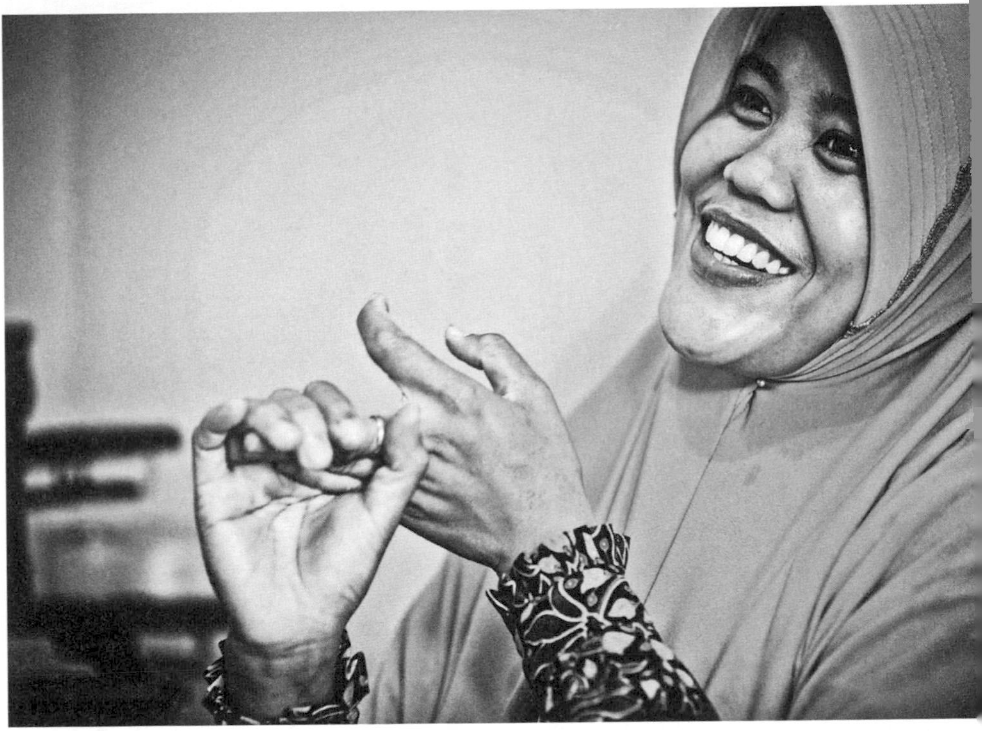

「他們以為我聽不懂中文，
但我其實都聽得懂。
我想不透，
為什麼他們不相信我？」

介紹了一個很遠的親戚給我認識，我跟他後來見一次面，交換手機號碼，一個月後他就來我家跟我訂婚了。我覺得他是一個很可靠的人，不會到處亂玩，很顧家，自己也在雅加達經營一間小餐廳賣薑黃飯，所以我也決定選擇他做為終身伴侶。雖然我們認識不久，也還沒有愛得很深，但我在心裡告訴自己，一定要做個好太太，以後我也會在他的餐廳一起幫忙。

擁有一個安心的家，對我來說就是幸福

如果你問我未來的夢想，首先最重要的是我想擁有一個很安心的家庭，家裡有良好的互動，不要太常吵架，希望生幾個小孩，過著平靜的生活。我自己也有個目標，如果以後餐廳經營得穩定，我想要經營一個自己的衣服店，因為我好喜歡做衣服，也喜歡搭配不同樣子的衣服，如果能為別人做衣服，我覺得這是件很幸福的事。

——原載自：One-Forty 網站，陳凱翔撰文，二〇一六。

Liena

從臺灣回印尼後就結婚了，現在定居在雅加達附近。Liena 的老公家賣薑黃飯同時開雜貨店，Liena 平日在家幫忙，期待能生兒育女，共享天倫之樂。

陳凱翔

大學時的目標是進國際非營利組織工作，卻沒想到大學畢業三年後，自己參與了新創非營利組織的從零到一。二〇一五年創辦 One-Forty，關注在臺灣的東南亞移工，培養移工改善未來生活的重要技能，也將移工的人生故事傳播給更多人。

政大企管系畢業，北京大學光華管理學院交換學生，在印度參與三個月的貧民窟照護計畫，在菲律賓花了三個月學習菲式思考。印尼文學習中。

他們是「外勞」？還是跟你我一樣懷有夢想的人？

在臺灣，你我身邊常會見到許多來臺工作的外籍勞工，每到週末，臺北車站的大廳內也常會看到大批外籍的勞工朋友群聚在一起聊天，你怎麼看待他們？根據勞動部統計，二〇一六年六月底止，外籍勞工人數已達六〇萬餘人，其中產業外勞為三十七萬餘人，看護工和幫傭等社福外勞則有二十三萬餘人，文章中的Liena也是其中一位。

在出國幫傭前，Liena和多數人一樣擁有自己想要完成的夢想，她想進大學念書，但現實狀況迫使她必須放棄求學，快快賺錢買地蓋房子，不要再讓父母過著每個月都去借錢、面對討債人上門的日子，她想靠自己的力量，改善家裡的生活，讓家人擁有安全和幸福的感覺。

經過海外工作十一年的生活，Liena家裡經濟逐漸穩定改善，她決定回家鄉，並且和一位遠房的親戚結婚。在文章最後一段她說出了對於未來的夢想：想要擁有一個很安心的家，不要太常吵架，希望生幾個小孩，過著平靜的生活；擁有一間自己的服飾店，成為一個為自己和他人帶來幸福的裁縫師。

Liena的心願和你我一樣，擁有一個安心的家，就是最大的幸福。原來我們和身邊這群遠來的朋友是如此相近，只不過他們實現夢想所遭遇的挑戰比我們困難了一些。當我們只是以概括性的稱謂「外勞」來認識他們，就可能受限於這個名詞所形成的偏狹觀點，而忽略他們跟我一樣充滿感情，懷抱夢想。

人與人、族群與族群之間的差異，在現代社會中通常表現為一種「距離」與「冷漠」，剛開始還不至於造成太明顯的問題；但彼此之間逐漸累積的不了解，也可能在特殊事件的催化下，而造成摩擦、衝突、甚至仇恨，而引發了大規模的極端行動。

許多集體傷害與衝突的凶殘事件，都是起自於對宗教、文化、地域、政治、性別等意識型態，所形成集體性「非我族類」的標籤，例如歷史上對「異教徒」、「有色人種」、「原住民」施加的暴行。

對於「他者」的真心尊重、理解與平等對待，是公民素養中很重要的一環，也是避免歷史不幸事件再次發生的最好處方。當下次有機會看到外籍勞工時，或許你會想起 Liena 這位印尼女孩，她會哭泣，也有夢想，跟你我沒什麼兩樣。

無論是男性或女性，
都應該可以自由的表現出他們的纖細敏感或堅強。
我們應該把性別視為一道光譜，
而非對立的兩端。

爭取兩性平權

—艾瑪·華森（Emma Watson）—

爭取兩性平權——捨我其誰？更待何時？

今天，我們要發起一項運動："HeForShe。站在這裡，我想告訴各位，我需要你們的協助，我們希望終結「性別不平等」這個問題，而這個目標需要大家共同投入，才有可能達成。

這是聯合國第一次啟動這種類型活動，希望喚起更多男性，無論成人或小孩，都成為改變的發動者。這不是紙上談兵，而是真實地付諸行動。

六個月前，我被聯合國任命為女性親善大使。當我越談論「女權主義」（feminism）就越發現，爭取女權往往成為「仇視男性」的同義詞。然而，我們一定要消除這種觀念。

女權主義的定義是：相信男性與女性應該擁有相同的權利與機會，無論在政治、經濟或社會上，兩性都應該被平等對待。

過去，我曾質疑因為性別而衍生的一些偏見。八歲時，我因為想導演給父母看的舞臺劇，而被冠上「霸道」（bossy）的形容詞，但男孩就不會。

到了十四歲，一些媒體開始將我性別化。十五歲，我的一些女性朋友開始退出喜愛的運動隊伍，因為她們不想變得太「陽剛」。十八歲時，我發現我的男性朋友們無法坦率表達他們的感受。

我是一位女權主義者，這件事對我來說一點都不複雜。但最近我卻發現，女權主義是個不受歡迎的字眼，女性會避免被貼上女權主義的標籤。像我這種女生會被歸類為言論激進、企圖心旺盛、特立獨行、排斥男性，甚至沒有魅力。為什麼「女權主義」變得這麼令人反感？

我來自英國，我認為我理應和男性同工同酬，也擁有自己身體的自主權。我認為女性有權力參與擬定會影響我生活與權力的政策，我認為我應該和男性一樣，獲得同等的尊重。

然而，遺憾的是，我可以肯定地說，全世界沒有任何一個國家的女性全然擁有這些權利，沒有任何一個國家已經做到性別平等。我認為這些權利都是基本人權，而我的人生，卻像是享有某種特權一樣。

我的父母並沒有因為我是女兒就比較不愛我，學校沒有因為我是女孩而限制我的發展，老師也沒有因為有一天我可能會生小孩而看扁我的未來。這些人就是性別平等大使，他們造就了今日的我。他們自己可能不覺得，卻在無意間成為改變世界的女權主義者。我們需要更多這樣的人。

你可能還是厭惡這個字眼，然而，重點不是字眼本身，而是它背後隱含的意義及理想，因為並非所有女性都能像我一樣擁有這些權利。事實上，就統計數字來看，這樣的女性微乎其微。

一九九七年，希拉蕊．柯林頓（Hillary Clinton）在北京發表了一篇談論女權的知名演說，可惜的是，當年她希望改變的事情至今仍然存在。不過最引起我注意的是，那場演說的男性聽眾還不到三〇％。如果兩性中只有一半的人口願意參與這樣的對話，我們如何指望能改變這個世界？

男士們，在此我想正式邀請你們，性別平等也是屬於你們的議題。

我看到很多年輕男性深受精神疾病所苦，卻因害怕被認為缺乏男子氣慨，而不敢向外求助。事實上，自殺已成為英國二十至四十九歲男性的最大死因。我也曾見過男性變得脆弱、沒有安全感，因為他們對於「成功男性」有錯誤的認知。男性也沒有獲得性別平等的對待。

我們很少提到男性同樣受性別的刻板印象所宰制，然而，事實就是如此。如果他們可以從中解放，女性的境遇自然而然也會有所改善。

如果男性不被要求一定要野心勃勃，女性當然也不必一定要乖巧柔順。如果男性不需要主導一切，女性自然也就不會被主導。

無論是男性或女性，都應該可以自由地表現出他們的纖細敏感或堅強。我們應該把性別視為一道光譜，而非對立的兩端。

只要開始以真實面貌來定義自己，而非世俗的那一面來彼此認定，我們都會變得更自由，這就是“HeForShe的宗旨，它的真諦就是自由。

我希望男士們可以扛起這個責任，如此一來，他們的女兒、姊妹和母親，才會免於受到歧視；而他們的兒子也毋須再害怕表現出脆弱與人性的一面，重新找回被迫拋棄的自我，成為更真實的自己。

你們可能在想，這個哈利波特女孩到底是誰？為什麼要到聯合國來演講？好問題，我也一直在問自己。我只知道，我關心這個議題，我想讓它獲得改善。在見過這些事之後，獲得了這樣一個機會，我認為自己有責任站出來說些話。愛爾蘭政治學家愛德蒙．伯克（Edmund Burke）曾說：「只要好人袖手旁觀，邪惡的一方就能得勝。」（The only thing necessary for the triumph of evil is for good men to do nothing.）

發表這場演說讓我非常緊張，然而，當我感到遲疑時，我告訴自己：「捨我其誰？更待何時？」（If not me, who? If not now, when?）如果你在機會來到面前時，也有這樣的疑惑，希望這句話對你有幫助。如果我們什麼都不做，女性想和男性同工同酬，大概還要等上七十五年，或是等到我一百歲時。而在未來十六年，可能還會有一千五百五十萬個女孩被迫未成年結婚。以現在的速度來看，一直要到二〇八六年，才能讓所有住在非洲鄉下的女孩接受中等教育。

如果你相信男女平等，你就會是我前面所提的那種非刻意的女權主義者，為此我要向你致敬。我們還找不到一個團結口號，但我們有一個共同行動"HeForShe。我想邀你挺身而出，問問自己：「捨我其誰？更待何時？」

——艾瑪・華森於聯合國演講文（洪懿妍譯）。

作者介紹

艾瑪・華森（Emma Watson）

一九九〇年出生，美國布朗大學英國文學系畢業。九歲時以飾演電影《哈利波特》中的「妙麗」一角出道；接拍多部電影作品，多獲得好評。

艾瑪・華森喜愛閱讀、冥想和瑜珈，曾為公平貿易、永續材料品牌"People Tree"設計服裝。二〇一四年成為聯合國婦女署全球親善大使，推動男女平權活動"HeforShe"；同年被選為《時代》雜誌百大影響力人物。

在你眼中，男生和女生有什麼差別？

你問我艾瑪．華森是誰？她就是《哈利波特》系列電影中，飾演妙麗的那個女生啊。是的，她在二〇一四年從布朗大學畢業後，受邀擔任聯合國婦女署的親善大使，並且發表你剛剛讀完的那篇演說。

演說中有提到「女性主義」這個詞，你是否了解它的意思呢？從遠古到近代，很長的一段時間中，這世界其實對於女性應有的權利不太重視，往往將女性視為男性的附屬品。直到二十世紀中期的西方世界，逐漸形成女權運動，強調女性應該和男性享有公平一致的權利，並且發展出「女性主義」的思潮。

但女權運動發展到今日，艾瑪．華森卻發現女性主義好像被貼上了「厭惡男人」的標籤，其實這並不是女性主義的本意。她說：「女性主義相信男人與女人都該被賦予同等的權利以及機會，女性主義爭取著兩性在政治、經濟、社會上的平等地位。」因此女性主義追求的理想，並非女性至上，而是性別平等。

我在開頭問了各位一個問題：「在你眼中，男生和女生有什麼差別？」或許你剛剛早已經說出了一大堆不同之處，但是艾瑪．華森卻在我們熟知的差異中，看到男性和女性都面對共同的問題，就是在性別上，男性與女性都被社會既定的刻板形象給限制住，而失去發展真實自我的自由。因此她發起"HeForShe"的運動，超越性別的固有形象，讓爭取自由平等權益不再只是女人的事，而是每一個人都該共同努力的目標！

在演講最後，艾瑪．華森引用愛德蒙・伯克的名言：「只要好人袖手旁觀，邪惡的一方就能得勝。」的確，這世界並不像童話故事那樣單純，但也沒有到媒體報導上那樣令人失望，它剛剛好就處在你可以決定它會變成什麼世界的位置。所以，請不妨問問自己：如果不是我，那會是誰？如果不是現在，那會是什麼時候？

而黃蒼在上，命運之神陪伴在側，
前頭行進的兒子停下來，繞回我的面前。
蹲下，我的眼線對著他的眼線，
卡農曲般的音調，兒子說：「你是爸爸，我是子王。」

子王

—呂政達—

子王。

宇宙無限，每個點都是中心。——史蒂芬・霍金

沿著學校圍牆，路走到盡頭，草色猶青，天空蔚藍。轉彎，像一張嘴巴，現出通向地底的走道。我們就這樣走下去，兒子在前，我跟隨著他。

從走道另一端，傳來孩童喧鬧的回音，兒子停下腳步，露出驚懼的神情，向回音的方向轉頭望去。他是容易受驚嚇的孩子，禁不住一點聲音，一陣突如其來的氣息，我就得蹲下來輕拍他急促的心跳。這是一條漫長的地下道，我們共同命運的轉角，時空的切片。

剛滿三歲時，醫院診斷兒子罹患高功能自閉症。白天，我們將兒子送往托兒所。所長發覺兒子慣常一個人在庭院轉圓圈，「像在跟透明人跳起華爾

滋」，建議我們找醫院檢查。檢查那天，醫院冰冷的儀器間，玻璃閃亮，從外頭聽不見兒子的哭喊、扭動，必須由我和妻用力抱住兒子的身軀，讓護士將塑膠吸盤定著在兒子的髮間。冰涼的觸覺，連接絮絮低語的電線，纏繞糾結，記錄兒子的腦波，也開啟我們這家人與自閉症共存的故事。

腦波報告出來（真像聆聽審判的感覺），醫師說，幸喜，兒子腦波正常，仍然需要接受語言治療，這是長長一輩子的事情，必須這樣走下去。兒子會對聲音敏感，喜歡看光影變化，發展固著性行為，無法過群體生活，沒有明確的主客體概念。還有，醫生身體傾前，凝視我與妻的眼神：你們的兒子也不會跟人有目光接觸。

「看爸爸的眼睛。」日後，這常是我與兒子對話的開場白。蹲下來，父子眼神同在一條水平線，他的兩粒眼瞳迅速轉過來，與我的眼睛接觸，像觸犯禁條般隨即彈跳開，完成我的指令、他的「看眼睛」儀式。

「看好了。」兒子的意思是，這樣也就夠了，一點也不能貪心。我輕拍兒子的胸部，心跳平撫，牽起手，走這條回家的路。像馬戲團的進場，父與子的行列，我跟隨他。

後來，我們也常走進語言的迷宮裡，意識的莊嚴嬉戲，生命的一場捉迷藏。感覺路真的已走到盡頭，再繞，又會回到起點。第一次，要兒子學會分清楚我、你、他的用法，首先指著自己鼻子：「我是爸爸，說一遍。」他重複，也指著自己鼻子：「我是爸爸。」不對，指著他的鼻子：「你是兒子，說一遍。」他也指著我鼻子：「你是兒子。」從三歲一路翻山越嶺，來到五歲的疆界，草色猶青。關於父與子的指涉，仍在語言的城堡外圍繞、窺探，一陣密集的攻勢後，我的聲音已接近嘶喊，兒子始終不改其志，食指照常直掄過來，對著我的視線：「你是兒子。」眼睛迅速逃開，像濃密叢林的游擊戰，謹守自閉症者的法條規章。

有陣子，妻勤於參加自閉症協會活動。有位家長告訴她，要在家中器具上貼上字卡，協助兒子認識物體與語言的關係。那是我們家的啟蒙時代，所有器物有指涉，貼上膠帶。遠古歲月的人類張開眼睛，是不是也如此開始認識天地萬物呢？想像每塊崢嶸其角的石塊上都安有名字，每只現身的獸類如舞臺丑角，掛上名牌，還來不及認識的姑且留下問號。繼而，我和妻身上都貼著「爸爸」、「媽媽」。聲明這兩個大人兒和他的角色關聯。但兒子始終視若未見，一陣撕扯。啟蒙時代提前結束，萬物重回洪荒，無言無字。

兒子說話總像現代詩，截頭去尾，意識流敘事體加上後現代主義風格。跟他問個問題，當下他沉默無言，彷彿聽而未聞，幾天後才忽然冒出正確答案，我們恍然大悟，卻已忘記早前的問題。五歲生日那天，一早，我和妻還在商量，要為他買哪家的蛋糕，邀請家族齊聚。他裸腳來到陽臺，指著朗朗晴空：「要去那裡。」我們倒讓他的舉動嚇了一跳：「那裡是哪裡？」「雲。」兒子告訴我們。就在他手指的那片天空上，浮雲懸蕩，星月幽渺，雲海裡面的宇宙必然運行，如同兒子的內心世界。我蹲下來看兒子的臉，想起艾略特書中，透過某個角色問的問題：「你膽敢擾亂宇宙嗎？」

有時候，想像逸出自轉的軌道，像遙遠的小彗星，急速掠過心間，好奇在這條放學的路上，往後的人生，兒子和我將面對什麼樣的一場考驗；路走到盡頭，潛進地下道，再鑽出來時，會許諾什麼樣的風景。回音在我們背後響起，越離越遠，像柏拉圖的洞穴，火光前撲朔迷離的影子，破碎的命運，那時仍看不清楚。地下道，兒子蹲下身，好奇地觀看鐵蓋下的流水，神情如此專注，好像我們可以一輩子在這裡過下去。

上小學（唉，跑過多少機構做鑒定，換一紙入學許可），好脾氣的導師看見兒子，瀏海覆蓋，眼神天真湛藍，照常會發出誇張的讚歎：「喔，王子來了。」這座向南的教室，迎向操場前方菩提樹，微風陣陣，彷彿就是小王子的城堡、獨居的星球。兒子照常充耳不聞，書包一摜，迅速溜進座位，吃他的餅乾。餅屑掉落地面。整節課，同學高聲朗誦起課文，他那麼專心的、獨自吃他的餅乾，吃完，懂得將包裝紙丟進教室後頭的垃圾桶。

王子，他是王子。我常在第一節課的窗外，暗自觀看兒子的舉動，沒來由地咀嚼起這個來自童話的名詞、象徵冠冕的身世，心裡卻浮起細微的酸楚，而我說來就是國王了，那我的疆土呢？我那象徵全能的權杖呢？

王子，他是王子。人類的存在卻是如此脆弱地維繫著，像一條細繩就想吊起整座星球。他的星球，一個自閉症小孩獨自坐在大腦的城堡裡，左臉迎接下降的日頭，右臉反射升起的月亮，他總會有吃不完的餅乾屋，童話的完美結局。

然而，放學的路上，跟隨他的背後回家，總會想著：難道，僅僅是大腦短缺某項化學元素，或者，基因所開的小玩笑，眼前小孩的生命史就得全部改寫，不再擁有耐人尋思的生涯規劃，沒有背著沉重書包、長久觀看電腦螢幕而戴上厚重鏡片的權利？或者，像我此刻陷進去的，重複著一名父親的憂慮與命運，父與子，馬戲團的行列，走固定的路回家？

特教老師定期前來造訪，要父母填寫評估量表。可以自己穿、脫有拉鏈的褲子嗎？經常如此。可以自己蹲馬桶嗎？經常如此。可以自己說完一則故事嗎？總是不如此。可以清楚分辨我、你、他等主詞的用法？停頓，咬著筆頭，彷彿回到語言迷宮，意識的莊嚴嬉戲。這真是一道傷腦筋的問題，像普羅米修斯拖著巨大無解的命運，返航的奧德賽，讓記憶再度曳回眼前。鉛筆填滿問題前的方格；唉，總是不如此。

但鉛筆劃開意識的疆界，草色猶青，天空蔚藍，所有童話仍睡在啟蒙的搖籃期。應該試著這樣問自己：睜開眼睛，記得向世界道早安，相信這會是個充滿陽光燦爛的日子？經常如此。懷疑這一切，跟隨兒子放學回家的這條路，終究只是場夢境？經常如此。在陌生人面前，可以放心訴說自己的貪戀與沉迷？經常不如此。覺得生命說不定只是則小玩笑？偶爾如此。覺得背後傳來回音、孩童的喧鬧聲，就會無法自主地心悸起來？偶爾如此。

常想會有一張世界地圖，經緯線縱橫穿織，座標分明，裡頭則只有我和兒子的行走，書包負在我肩上，馬戲團的行列，生命如此自顧自走著，不再有病症的糾纏，不需學習主詞的用法，也沒有任何陌生的臉孔迎面而來，神祕的回音不會從背後響起。但兒子踩著童話般的腳步，繞進窄巷觀看每座水塔的流動，我必須停下來，耐心等待他再度現身，偶爾盡責地喊一聲：「當心，有蚊子。」

他喜愛所有會轉動的東西，用他的語言說是：「要看轉轉。」黏在鐵窗上的抽風扇，掛在人家門口，出現在宮崎駿動畫裡的小風車，洗衣店烘乾機攪動的旋風，有如命運的扇葉，我們的身世注定如此混攪在一起了。他並不知道，常常不顧我的呼喊，自己奔向前攀著圍牆，想看清楚一座荒廢的水塔，或者蹲下來，端詳排水溝裡的紋路，那樣的專注與莊嚴，總會讓我心痛。有時，我會陪他蹲下來，觀看細小葉片在水裡的波動，完全沒有自己的擺蕩著，億萬年的微生物，駐居在一個肉眼難觀的小宇宙裡（艾略特的問題：你膽敢擾亂宇宙嗎？）。繼而，我發覺我們自以為好好把握著的人生，作為人的存在，也浸沉在一式一樣的擺蕩裡，整座宇宙在我們行進間仍然轉動運行著，這裡，就是史蒂芬．霍金聲稱的宇宙中心點，一切的風景都在晃動，一切的肉身心情、聲聞與緣覺。

無法否認自己的真實念頭，一個念頭起來，又連結著另一個強烈的想法，如同意識裡準時抵達的隱形列車。我多次起過遺棄他的念頭，只要停下腳步，讓兒子繼續向前行進，走進擁擠倥傯的人潮，身影終而掩沒。或者，置身在晚春的祕密花園，芍藥與七里香，盛開的杜鵑花叢，兒子站在花前觀看，出神，一如往常從不回應他人的問話，自閉症的典型徵候，這時我只要悄悄轉身離開，就能結束我們的命運，解開父與子的鏈結，從緩慢啟動的列車上一縱而下，馬戲團棚下的觀眾發出驚呼。

那一次，我真的，真的這樣做了。舊式的醫院走廊上，陽光慵懶，兒子掙脫我的手，跑進小庭園觀看一座空調水塔，嘈雜的水流聲震懾並迷惑他全部的心神。我轉身離開，內心惶惑不安。起初，就站在醫院門口，等他自己跑出來，從吊點滴、打石膏、坐輪椅的，各色病患交錯的身影間現身。他是我的王子，我想，再等十分鐘，如果他仍未出來，也許是我們沒緣分吧。

那十分鐘裡，所有悔恨與罪惡的情緒竟然相繼浮顯，像是心內奔走的螞蟻。早已經遺忘的童年記憶，被遺棄在停止擺動的搖籃、空洞的奶瓶等等。人的記憶能走回多遠？記得走在鄉間全然陌生道路上的感覺，兩旁密密麻麻的向日葵，猛然回頭，我看不見自己的父親，日頭荒疏寂寞，我仍記得向日葵叢裡傳來神祕的聲響，那道聲音一再成為噩夢的主角，突如其來的恐懼，仍然將我囚禁在記憶的城堡。

我想起自己的兒子（喔，我已經是別人的父親，我血裡的血，肉裡的肉），此刻必然在陌生的醫院走廊，重演著當年我經歷過的焦慮，神祕的回音在他耳膜四周響起，築起一道牆，我們都是容易受驚嚇的孩子。我慌張的衝進醫院，尋遍每道轉角。婦產科前一名孕婦捧著肚子，神祕地對我搖頭，她的子宮裡胎藏著最難解的訊息，生命的起源與關係，基因的排列與命運，主詞與受詞的用法（真的每次都分得清我的、你的和他的嗎？你膽敢擾亂宇宙嗎？）。每個身體拆封啟用前，都應該附上使用說明書和保固期限。抱歉，彷彿聽見有道聲音喚我（難道來自喜愛問問題的艾略特？），這才看見兒子坐在婦產科的候診椅上，飲著警衛給他的優酪乳，什麼也沒有發生那樣的表情，等待一名父親的現身。

始終沒有提起這件事，當作父子間的祕密、閉鎖的心事。或許他從不知道那天在醫院的迴廊，究竟發生過什麼事，但我想他是有感應的，從此以後，回家的路上、馬戲團的行列，偶爾悄悄停下腳步，像唱針離開迴轉的留聲機，兒子總會警覺地轉頭望我，踅回來緊緊牽我的手，催我繼續前進，表情沉默而幸福。我該如何形容這樣的幸福呢？我膽敢擾亂宇宙嗎？想起阿基米德的比喻，他說，給他一個點，他能把地球扛起來。總想像在這條回家的路上，兒子的書包扛在肩上，所有的水塔開始轉動，排水溝裡的小宇宙，所有的風車，跟隨著風的指揮，於是，我總也可以窺見那個懸浮在無窮空間的點、巨大的負擔，也讓我把地球扛起來吧！

而黃蒼在上，命運之神陪伴在側，前頭行進的兒子停下來，繞回我的面前。蹲下，我的眼線對著他的眼線，卡農曲般的音調，兒子說：「你是爸爸，我是子王。」先別管名詞吧，這次，他終於說對了主詞的用法。

我的，你的，他的，我們的，你們的，他們的，實在，一道呼吸，一陣神祕的回音，就足夠擾亂宇宙。這是屬於他的童話，想像的宇宙風景裡，星球碰撞，銀河繚亂，他是運轉的恆星，宇宙的中心點，與透明人跳起的一支華爾滋。

「那麼，我必定是你的臣，你的民。」我望著他，深深地看進靈魂深處，等待自閉症的城堡，輕輕地開啟一扇門，「上蒼必然會賜福給我們的。」他看著我的眼睛，點頭。馬戲團的行列，宇宙的一角，我們繼續前進。

——原載自：《爸爸，我們好嗎？一位自閉兒爸爸的愛與煩惱書》，生命潛能出版，二〇一二。本文曾榮獲第十五屆梁實秋文學獎首獎。

呂政達

臺大國發所碩士，輔大心理系博士生。臺南市人，現居臺北。曾任《張老師月刊》總編輯、《自立晚報》藝文組主任及副刊主編、《信誼基金會學前教育月刊》主編、《魅麗雜誌》編輯總監、大學心理學教師等職。

文學創作內容包含散文、論述、心靈小品乃至政治相關書籍。獲獎無數，並被九歌出版社選為臺灣三十位散文代表作家之一。張艾嘉導演曾將其作品〈諸神的黃昏〉改拍成短片，收錄在電影〈10＋10〉中。

出版著作頗豐，著有《怪鞋先生來喝茶》、《丈夫的祕密基地》、《走出生命幽谷》、《偷時間的人》、《從霸凌到和解》、《孤寂星球，熱鬧人間》、《長大前的練習曲》、《我在打造他的未來》、《異考錄》、《爸爸，我們好嗎》、《不落跑老爸》、《錦囊》、《臺灣女兒》、《散步去吃西米露：飲食兒女的光陰之味》等四十餘種；其中《做個會發光的人》獲新聞局選為優良青少年讀物推薦，《與海豚交談的男孩》榮獲二〇〇五年《中國時報》開卷美好生活獎。（本文取自《爸爸，我們好嗎？》作者簡介）

如何面對生命中的困境？「放下」和「放棄」有什麼差別？

在我還沒有小孩之前，我對怎麼當一位父親一點概念都沒有，說實在話，我現在每一天還是繼續在學習如何扮演好一位父親的角色。雖然我的孩子已經上小學了，但是我依然清楚的記得，當時的我是多麼期待一個新生命的到來，想要帶他去看海、爬山、去動物園看大象、一起騎腳踏車、打棒球。不過過程中這些美好的片刻也伴隨著教導孩子的挑戰，而文章中呂政達先生的挑戰比我更大，因為他有一位特別的孩子，所有一般孩子會經歷的學習過程，他的孩子都要花十倍、甚至是百倍的時間來練習，兩個人的對話像是在文字迷宮裡玩捉迷藏，甚至期待與孩子眼神的自然接觸，也成為一生漫長的等待。

你有沒有發現文章中，呂政達先生並沒有直接以你可以懂的字詞，例如：「憂慮」、「擔心」、「苦惱」來表達心情，他似乎刻意隱藏了自己的心情。你可以在閱讀中發現他是多麼細心的回應孩子的每一個反應，並且細膩而深刻的描述自已內心當下的想法，有時也忍不住想為這樣的關係找到無法解釋的答案。他說：

「跟隨他的背後回家，總會想著：難道，僅僅是大腦短缺某項化學元素，或者，基因所開的小玩笑，眼前小孩的生命史就得全部改寫，不再擁有耐人尋思的生涯規劃，沒有背著沉重書包、長久觀看電腦螢幕而戴上厚重鏡片的權利？或者，像我此刻陷進去的，重複著一名父親的憂慮與命運，父與子，馬戲團的行列，走固定的路回家？」

他無法理解也無法改變。

父親的情感永遠都是堅定而不變的嗎？我身為一位父親，讀到文章中有一段內容，心頭上緊緊地揪了一下，他說：

「這時我只要悄悄轉身離開，就能結束我們的命運，解開父與子的鏈結，從緩慢啟動的列車上一縱而下，馬戲團棚下的觀眾發出驚呼。」

終究，他還是回到孩子的身邊。

你知道他為什麼會回去嗎？因為孩子，你是我們作父親的存在這宇宙的中心，我必定是你的臣，你的民。在這宇宙中，你們在成長，我們也在成熟……

知道自己外籍新娘的身分在臺灣是一個買賣標的，陳鳳凰很受傷。她如何把這些視為生命中的石頭，彎下身撿起丟掉，成為一個讓人尊敬的大學老師？

越南女兒．臺灣母親

—陳凰鳳—

越南女兒．臺灣母親。

目前在政大外語學院擔任越南語講師的陳凰鳳，去年接受新聞臺訪問時，分享了在臺灣身為外籍新娘被歧視的歷程：「我剛到臺灣時，看到到處貼的『外籍新娘20萬』，我看到我這個身分是別人用買賣方式來評斷……」陳凰鳳用流利的中文一邊講一邊擦眼淚，引起很大的迴響。剛到臺灣時飽受歧視，她為了怕孩子也被歧視，因此反而努力的參與孩子校園的生活；為了融入臺灣社會當一個新臺灣人，陳凰鳳要比一般人更努力。

端坐時雙腿併攏，開心大笑時不忘用手掩嘴，來到臺灣第十六年，陳凰鳳從在家相夫教子的越南媳婦，變成在政大開班教越語的講師。無論身分如何轉換，她始終沒有忘記母親在家鄉教導過她的點點滴滴。

化解文化衝突，走出家庭當志工

陳凰鳳的父母都是順化古城人，長年的皇城文化薰陶，讓他們格外重視禮節與道德，「我爸媽認為，這是家庭教育的一部分，不能等到學校教育、社會教育才開始。而且他們對女兒特別注意與關心，因為女兒以後是別人的媳婦，如果教得不夠好，女兒過得辛苦，做父母的會心疼，也會被認為家教不好。」

家中七個孩子，四女三男，在她的成長年代，越南男主外、女主內觀念依舊重，女人一定要從小學習料理家事，也要會做菜、能照顧好孩子。「我媽媽教女兒，不是把我們叫來碎念或責罵，而是把她成長過程學到的一切編成小故事，幫孩子一邊梳頭、一邊述說著故事。」她記得，媽媽說著說著，會夾雜幾句：「你們以後不一定會和我一樣。」但最後總不忘補上：「可是啊，女人還是要懂得三從四德、要賢淑喔！」

結婚第七年，夫妻倆決定帶著稚齡兒女回臺定居，她一心想像媽媽一樣當個賢妻良母專心持家，但看著其他新住民帶著母國文化來到臺灣，兩方文化衝突產生誤會與悲劇，陳凰鳳決定去當志工，也因此得知更多悲傷的故事。

「有個姊姊在準備祭拜牲禮時，不知道臺灣傳統必須全雞、全魚，按照越南習慣全部切塊、切片，婆婆看了勃然大怒，但兩人語言不通，媳婦不知道哪裡做錯，最後喝下廁所清潔劑自殺。」此外，在越南無論年紀，只要是輩分較長，都會被尊稱為姊姊，但臺灣同輩間習慣直呼其名，「有位姊妹一直被小姑喊名字，覺得不受尊重，也不喜歡臺灣人總是愛取暱稱『阿蘭、阿惠』。」

小孩被笑「沒有先生」

陳凰鳳的流利中文帶著一點廣東腔，常被誤會是香港人，有次孩子生病，住在雙人房，她和另一位照顧孩子的媽媽聊天時，被對方誤會是新加坡人，說明自己是越南人後，對方僅僅回答：「喔」就不再言語，她回想：「當時對方的態度讓我很受傷，不過後來我想通了，人對陌生的族群不了解很正常，我應該主動分享，現在我會開玩笑，我住在西貢，但不是『香港西貢』，是『越南西貢』喔！」

早期臺灣對新住民的跨國婚姻沒有信心，加上媒體報導讓社會認為娶外配的男人社會地位低、找不到老婆，公婆總是希望媳婦趕快融入臺灣，不要被認出是外籍配偶，也不希望孫子學習媳婦母語，擔心影響中文學習和課業發展。

陳凰鳳一家人剛搬回臺灣時，孩子只有一、兩歲，雖然在公婆要求下，她盡量和孩子說中文，但孩子還是有點混淆，問什麼都回答：「沒有」，因此被堂兄弟笑「沒有先生」，加上講越語家人也聽不懂，兒子最後乾脆不說話，「其實那時我很緊張，決定好好跟他說中文，半年後兒子終於能好好開口說話。」等到孩子上幼兒園，她才又開始和孩子說越語。

如今一雙兒女都是高中生，兒子崇拜她，覺得媽媽說什麼都好、做什麼都對，相反地，很有個性的女兒說話直，對餐桌上的飯菜不滿意也直說，陳凰鳳不得不嚴格要求女兒，「我父母的教育方式，讓我養成謹慎的性格，懂得察言觀色、注意他人需求，這些都是好事，為什麼不能要求女兒當個好女人？」但先生忍不住抗議了，「老婆你的時代和孩子們的時代不同啦，我會心疼女兒的！」夫妻總是因為教育子女起爭執。

當她打電話給女兒，聽到電話那頭冷淡回答「怎樣」時，她又責備：「女兒，你應該說，媽媽有什麼事嗎？」讓女兒更加不悅。陳凰鳳的期望，造成了女兒的反感，認為媽媽對自己太嚴格，女兒國中時，兩人關係變差。

有一天，陳凰鳳決定要跨出溝通的第一步，母女兩人待在房間聊天，陳凰鳳說著自己對教育的想法，忍不住掉下眼淚，女兒也開口道歉，說出覺得自己不被疼愛的心情。

跨過了這一關，兩人感情恢復往昔，甚至變得更加緊密，女兒升上高中的那年母親節，女兒不再是被要求而心不甘、情不願說出母親節快樂，而是為晚歸的她在桌上留了張紙條，寫著：「媽媽辛苦了，母親節快樂，早點睡覺喔！」陳凰鳳哭了又哭，她也調整了自己的教養觀念，留下臺灣社會也認同的作法，例如文雅的用詞與說話禮節，但女兒大笑時她不再出聲阻止，也讓女兒疲累時能躺在沙發抬腳休息。

曾經不愛拍照、也不喜歡和家人合照的女兒，現在手機裡一定有和媽媽的自拍照，母女都找到更放鬆生活的方式了，對陳凰鳳來說，在不同的文化、不同的世代，找尋適合彼此的生活方式，是她為人妻、人母路上，不斷學習的一堂課。

——載自：諶淑婷採訪，《親子天下》網站，二〇一七。

作者介紹

陳凰鳳

來自越南胡志明市。於二〇〇一年底由越南來臺灣定居並深造，二〇〇三年創辦臺灣第一份越南文報刊。目前為國立政治大學外國語言學院講師，中華電視公司教育文化頻道主持人，並在臉書成立「越說越輕鬆：越南語線上課程」。曾獲第五〇屆廣播金鐘獎教育文化主持人獎、二〇〇五年臺灣全國優秀青年表揚、二〇〇五年臺北健康城市十大特色人物：友善類代表等。在教學與創新的各種行動中，陳凰鳳幫助人也豐富了自己的人生。她希望為新住民營造屬於各族群自己的多元文化環境。

諶淑婷

曾任報社記者，現為「半媽半X」自由文字工作者，偶爾在從小長大的社區賣菜。育有一兒一狗四貓，關心兒童與動物的權益與未來生活環境。個人網站「喵的打字房」。

如果你需要被訂價格，這是什麼情況？

讀完這篇文章的你，有什麼感受？有什麼想法？這篇文章讓我讀完後，有種慚愧的感受，也讓我獲得一番深刻的反思。

這篇故事表面上雖然是述說陳凰鳳女士融入臺灣社會的心路歷程，但是裡面提到她和女兒關係轉變的過程，卻更加吸引我的注意。陳凰鳳的父母都是順化古城人，長年的皇城文化薰陶，讓她的家庭格外重視禮節與道德，尤其是對於女兒的教養方式特別注意與關心，期待她嫁出去後被人疼惜，擁有幸福的生活。

陳凰鳳女士的女兒很有個性，說話直接，令陳凰鳳不得不嚴格要求女兒，但這反而造成了女兒的反感，兩人的關係變得很不融洽，顯然母親重視溫婉賢淑的價值觀，與女兒直白的個性表現有著天南地北的差異。最後陳凰鳳女士以坦誠溝通，化解兩人心中的結，並且接納兩人差異，保留了文雅的用詞與說話禮節的原則，但當女兒大笑時她不再阻止，疲累時能躺在沙發抬腳休息。讀到這裡，我不禁有個聯想，如果臺灣的新住民媳婦是故事中的女兒，臺灣社會是故事中的母親，我們的社會是否也能像陳凰鳳女士一般，以坦誠溝通和接納差異，分享跨越族群的生活文化和價值觀？正如文章最後所說，在不同的文化中，找尋適合彼此的生活方式；或者我們的社會，是文章中另一個勃然大怒、讓媳婦羞愧的無以自容的婆婆？

這個社會是由我們每一個人所組成的，一開始我問了一個問題：「如果你需要被訂價格，這是什麼情況？」這問題不是要你思考你的價值，而是請你思考，是怎麼樣的社會，會接受這樣給一個「人」訂價格的價值觀？陳凰鳳女士努力的從一個「商品」變成一個「被尊重的人」，讓我們一起試想：如果有一天，你在國外看見一個海報，上頭寫著：「臺灣籍新娘二十萬」，你怎麼想？

你們是人，我也是人，
所以你們能做的、能享受的，我也應該一樣，
但後來我發現這社會沒有辦法，
不是每個人都有公平的機會……

街頭俱樂部

—李玟萱—

街頭俱樂部。

阿明坐著輪椅在街頭流浪的名詞已經更新過好幾代：流浪漢、遊民、街友，但最常聽到的還是人家用台語稱呼：幌組。「鄉下不是有句話說『幌狗母梭』？『狗母梭』就是做魚鬆的那種魚，『幌狗母梭』就是拿著兩條魚在街上晃啊晃……那『幌組』就是說我們這種兩隻手在街上晃啊晃的人。」但阿明還是寧願別人稱呼他「街友」，「被人家講流浪漢總是……。」

第一個晚上

患有先天性小兒麻痺的阿明在三十五歲那年離家睡上街頭，「父親再婚後，家裡房子太小了。」但阿明並不覺得父親與繼母要為他負起流浪街頭的責任，「我都幾十歲人了，離開家也是應該的。」他只希望經濟窘迫的自己在這個社會福利建全的國家，可以快速找到一個收容安置的地方。

第一個晚上，阿明到處睡、到處換地方。

為什麼要換地方？「不相信你找一天晚上挑戰自己：身上沒有錢，不能住旅館，也沒有親友可以投靠，你試看看哪裡可以讓人安穩地睡上一覺。」

在板橋長大的阿明一開始選擇了板橋的另一個村落，一方面遠離左右鄰居，一方面至少還在熟悉的地盤上，就算吃虧也不會吃大虧。他不好意思躺著睡，只敢趴在公園涼亭的桌上小寐，希望別人以為他「只是累了休息一下」。睡到清晨三、四點大家要跳土風舞時，他就先離開、避開眾人的注意，等大家跳完再回來。

但阿明企圖營造「只是累了休息一下」的形象持續半年後，連流浪狗都認識他了。在居民的要求下，外展服務中心的社工把阿明安排到臺北市歸綏街的「平安居」，那是臺北市社會局委託天主教聖母聖心會成立的收容機構，專門收老弱殘疾人士，阿明就在那裡度過了第一個流浪在外的農曆年。

但平安居畢竟只能短期安置，戶籍在臺北縣（現新北市）的阿明沒辦法申請臺北市的收容所，當時臺北縣的收容所又還沒成立，因此阿明再度回到公園流浪。

隔沒幾個月，臺灣爆發了引起社會恐慌、人人自危的SARS，座落在臺北市街友聚集地的和平醫院與仁濟醫院都因院內感染相繼封院。雖然感染案例並非街友，但隔鄰的臺北縣政府為預防大規模街頭傳染，便將街友集中安置到林口一處廢棄軍營，隔年正式成立為「觀照園」，作為短期安置街友的收容所，阿明也是見證人之一。

「我真是一部收容所發展史啊！」阿明笑著說。

收容所中有各式各樣流落街頭的人，也有剛從監獄出來、具幫派背景的人，甚至有暴力傾向的更生人。阿明形容：「對已經沒有家屬的更生人來說，他們什麼都無所謂了，從監獄到社會只是『暫時』的，只想在社會幹一票、弄點錢，回去之後才能『盎卡』（臺語：監獄裡的地下存摺），監獄才是他終生的故鄉。」這些更生人將監獄的遊戲規則帶進收容所後，讓一般只是「賣香腸賣到倒閉」或是「擺地攤擺到破產」的人很難適應，最後就演變成「這個待不住、那個一直犯規」，結果通通回流到社會。

即使待得住，「觀照園」每一次的短期安置也只有三個月，阿明進進出出多次以後，聽說中和的圓通路有個長期收容所，但傳聞裡面全是精神病患，阿明想想，還是沒辦法為了吃住裝瘋賣傻，就又回到街頭。

工廠外移下的失業者

一般民眾會覺得街友好手好腳的，為什麼不找個工作，反而要成為街友？「他們說的也沒錯，但卻忽略很多工作都是臨時性的，今天有，明天不一定有……還有很多人看到身障者在街頭賣東西或行乞都會以為『啊，裝窮！他們都有殘障津貼』。但像我，就是有殘障手冊卻不能領殘障津貼的那一種，因為我父母的家還在，所以也不能申請中低收入戶[2]。」

我們的社會，
在街友們的眼中
是什麼樣的面貌？

好手不好腳的阿明其實做過很多工作，作業員是其一。

那是民國六、七十年代，隨便就能找到小型加工廠的工作，而且大部分的老闆都會提供吃住，也許只是一個很窄的隔間，卻足供幾個工人窩居其中。「那時候很多南部十三、十五歲的小孩純粹就是『我長大了、應該要北上』，所以就來臺北縣當學徒打拚，但幾乎不曾看到有人流落街頭，而且當外地人經濟有困難的時候，即使才剛做幾天，跟老闆借點錢，他也都會給。」

後來大型工廠轉往中國大陸，下游的小型加工廠只好跟著收掉，雖然工業區還是需要一些作業員，但是「他們對作業員的要求已經不是那麼隨意了，至少要高中以上學歷；還有像穿『無塵衣』的那種工廠，哪是普通歐巴桑、歐吉桑進得去的，要有專業的人才行。」

阿明還當過攤販，「說真的，臺灣現在生活辛苦的重大原因就在這裡，以前即使找不到工作，你只要在電影院附近隨便擺個攤子，賣個花生、芭樂都能賺點小錢。但現在賣個冰也要合乎衛生規則，擺地攤也不是那麼容易，不然誰願意流落街頭。」阿明說當攤販困難之處在於「各地方都有惡勢力控制著，就算交了保護費，別人叫你走，你還是得走。」

本來擺攤是阿明最後一絲養活自己的希望，直到最後連路邊攤都沒得擺，他才澈底死心，開始觀察街頭其他人、學著他們撿寶特瓶。

從那一刻起，阿明終於承認自己正式進入街友圈了。

阿明的街友觀察心得

對於「街友」這個族群，阿明發現這一兩年似乎有一些變化：「本來都是一些知識低落、或是沉迷賭博電玩、大家樂、小型工廠沒了又進不去大型工廠的落魄人。」但越來越多看起來像讀書人的面孔，也加入了無家可歸的街友行列。

雖然阿明不主動跟人搭訕，但他隱約覺得這些人過去從事的職業，大部分是非專業的服務業。通常二十、二十五歲做這行很受歡迎，但一超過二十五歲，老闆就想要下一批二十、二十五歲的年輕人。

「好在我從小在低下階級出生，素質本來就不是很高，所以進入街友圈看到賭徒、神經病、流氓土匪都習以為常；如果我像他們一樣大學畢業才進來，我可能會發瘋。」

阿明自嘲當街友的這十幾年常感到自己人生很倒楣，可是這兩年他突然覺得：「咦，好像不是喔？我反而是提早適應、比他們更早準備好！」

就連在臺北後車站恩有教會吃免費午晚餐的人，也比以前多很多，可是空間有限，很多人只好端著碗、蹲在街頭用餐，「我們國家曾幾何時變成這樣？那『踉蹌』的樣子，好像比美國哈林區更有味道！」

你還知道美國哈林區！「從電視《七〇〇俱樂部》看來的，那也是一個教會專門在幫助黑人，可是人家接受救濟吃飯看起來蠻快樂的，反觀臺灣，我怎麼看得心裡有點酸酸的感覺。」

或許是群體愈來愈龐大，街友的議題也越來越受到關注，阿明常遇到很多大學生、研究生跑來做問卷調查：「你流浪都去什麼地方」、「你流浪都吃些什麼」、「廉價房屋的房租是多少」……。

但阿明覺得個人的事不重要，也不在意社會失業率攀升導致街友學歷升高、年齡層下降的問題，他更清楚街友當中能夠作亂的，不過就是那一小撮人幹些喝酒鬧事、搶人家商店等狗屁倒灶的事，還不至於有高深的頭腦去做高深的勾當。「像我們這些笨蛋，十幾年來也沒電視可看，頂多就是看車站電視牆的新聞，要不然就撿人家丟掉的報紙看看，不可能中什麼毒素，連吸毒的錢都沒有。」

該好好研究的是「把人放到一種環境裡逼久了，腦筋會逐漸失常」的現象。「這不一定發生在街友身上，那些看起來正常的人更恐怖。我在街上觀察，覺得現在人的臉看起來都好像被一種毒深度催眠，可能腦子裡的意識型態也在改變，鄭捷的捷運殺人案就是一個例子。」

說到捷運殺人案，阿明很想跟警力不足的臺北市警察提案：「既然不能每一站、每個車廂都派巡邏，為什麼不派街友？有一些也是身強力壯、武功高強，像有些原住民，那不是開玩笑的，他們以前在軍中都受過很特別的軍事訓練，能力不亞於警察，為何不將他們編列成一個駐警中隊？至少也可以當偵查。」

阿明知道這也牽涉到捷運局的管轄，「捷運也不要管制那麼嚴格，可以開放一些極度需要靠賣東西維生的人進去，只要不騷擾乘客，你讓他在定點賣，就等於是多一個觀察哨；例如讓街友進捷運站賣《大誌》[3]，給他身上配個無線電，賣的時候若發現可疑分子進入捷運站時，拿起無線電就可以馬上聯絡捷運警察，有人幫你擔任警戒，還不用多付他薪水咧！」

阿明強調，他不是在講知識，而是在講真諦，「物盡其力，人盡其才。鰥寡孤獨皆有所用、皆有所養、皆有所家。社會已經花很多錢在一般階級的人身上了，如果多幫街友想一步，既不浪費錢，還可以帶動你們正常人一些利益。」

雖然不良於行，但阿明的腦筋卻停不下來，不僅思考臺北城的街友問題，還吸收國際的街友政策。

從德國留學回來的人告訴他，有些住不起學區宿舍的臺灣學生，其實都瞞著爸媽睡在地鐵站。德國地鐵站會在地板上畫出一格一格的位置、編上編號，繳一點清潔費，在地鐵打烊後，就可以鋪上塑膠墊睡覺，「還有門牌號碼喔，一樣可以收到家裡寄來的信。」

德國政府會提供這些街友麵包，也鼓勵他們做一些小玩意兒在地鐵裡販賣，「就是你們現在說的文創啦」；還特別開闢一區做人才推銷，歡迎民眾到這裡尋找勞工、家庭教師。

阿明覺得臺灣的街友圈比較像「浪人營」，「就是日本戰國時代……好像《笑傲江湖》不知道第幾集也有浪人武士集結？反正就是各路人馬、弱肉強食，人吃人，比監獄更加黑暗，聰明的吃笨蛋。」

留著及肩長髮的阿明看起來真有幾分浪人的味道，但不像騙人的，反倒像會被人騙的那種。「他們沒成功，因為詐騙人頭、詐領保險金這一套在發展之初，我每天就在板橋看啊聽啊，這些人嘴巴會說什麼我都可以倒背如流，睡覺都夢得到。」

——摘自：《無家者：從未想過我有這麼一天》，游擊文化出版，二〇一六。

註2　「臺北市身心障礙者生活補助」規定，申請人之全家人口之土地及房屋價值合計超過新臺幣六百五十萬元，就不符合資格，而《社會救助法》則規定，凡是家中不動產價值超過四百八十萬元，也不符合中低收入戶資格。

註3　協助街友獲得收入的藝文雜誌。

李玟萱

作詞人、文字工作者。國立暨南國際大學成人與繼續教育研究所碩士。九二一地震後投入災區重建，曾在臺灣原住民族部落重建同盟、臺灣基督長老教會九二一社區重建關懷體系、臺灣原住民族學院促進會等機構工作，在中部地區待了八年。曾擔任萬華社區大學與萬華社會福利中心合辦之街友繪畫課為期一年的隨堂助教，是與街友接觸的開端；後又參與臺灣夢想城鄉協會弱勢族群導覽員培訓，擔任義工與導覽文本訪談撰寫。

著有《失去你的三月四日》（寶瓶文化），中視改編為優質華劇，入圍第五十一屆金鐘獎四項獎項。現為主動音樂專屬詞人，歌詞作品散見多部華劇主題曲、片尾曲。曾獲二〇一四年香港作曲家及作詞家協會「最廣泛演出金帆獎—國語流行作品」、二〇一五hito流行音樂獎—年度K歌、二〇一五香港新城國語力歌曲獎。（本文取自《無家者》作者簡介）

我們的社會與生活，在街友眼中是怎樣的面貌？

閱讀〈街頭俱樂部〉這篇文章，對我而言是個有趣的經驗，感覺是我在看街友們的故事，而他們也在打量我的想法。

生活中總會在城市的角落看見街友，除了社工人員外，我們很少主動接近他們的世界，但每位街友都有一段屬於自己的故事。藉由文章主角阿明的介紹，我們有機會認識這群在社會邊緣遊走的人們。在他的說明裡，包括他自己的故事，沒有不公的控訴，也沒有憐憫的呼籲，僅以平實又帶些幽默的口吻，述說自己遊走在街頭所見跟遭遇。他談話中不時像一個社會學家般，表達他在街友身上觀察到的種種社會現象與社會變遷，值得我們深思。他發現：「遊民本來都是一些知識低落、或是沉迷賭博電玩、大家樂、小型工廠沒了又進不去大型工廠的落魄人。但越來越多看起來像讀書人的面孔，也加入了無家可歸的街友行列。」街友的背景和條件逐漸在改變中，從個人條件低落的影響，變成個人能力被取代的淘汰。我忽然驚覺，原來這個我們認為是邊緣的世界，竟和臺灣令人憂心的經濟競爭與國際現實如此相似。此外，越來越多人對街友關注時，他反而提醒說：「該好好研究的是『把人放到一種環境裡逼久了，腦筋會逐漸失常』的現象……這不一定發生在街友身上，那些看起來正常的人更恐怖。」他並且提出由街友擔任街頭巡邏的工作，既能讓街友們有工作可以養活自己，又可以貢獻自己的力量、回饋社會。讀到這裡，我既佩服他的創意，也試著去思考他所想像的社會。

若街友的存在作為一面社會的鏡子，我們在這面鏡子中看見什麼？一個現代進步的社會可以是什麼樣子？既存在生存競爭的叢林法則，也有著相互扶持的集體力量，給予勤奮的人民相對的收穫之外，也要能讓在邊緣遊走的人們不受飢寒，懷抱希望。事實上，街友生活的社會並沒有獨立在我們的生活之外，因為我們也都在這街頭俱樂部遊走。

「這長白毛的動物叫什麼？我從沒看過那麼漂亮的毛。」
「哦，也是飛鼠，但不是普通的飛鼠，它有靈魂。」
車上的人都安靜下來，老酒鬼枕高頭注意聽，
像小孩子聽鬼故事的神情……

拓拔斯．塔瑪匹瑪

—拓拔斯．塔瑪匹瑪—

拓拔斯・塔瑪匹瑪。

太陽漸漸下落，在山峯邊緣只剩下幾百公尺就要天黑，遠處一對夫妻牽著水牛，從梅雨沖刷而成的小徑回家，男的背竹籃，他的頸發育不良，細而且短，頭髮散亂，像他背籃裡玉米的鬚卷。他們從濁水溪的河床開墾地走上來，腳縫還夾著細沙，快接近那小徑的集合處，他們的腳步也加快，正好在交叉路上與車子相遇。他們氣喘著，看不出是累還是高興的張口。司機停住車，問他們要不要上車，那男人拍拍他的褲子說：

「我身上除了泥土之外，沒錢可付車資。」司機表示不收他分毫。那男人把太太抱上車，抬上玉米，自己牽著牛走回去。他的女人叮嚀早點回家，不要讓她久等。我不曾看過她，也許是鄰近部落剛嫁過來的媳婦。

「嗳，平安，來這邊坐吧！」烏瑪斯空出和她臀部一樣寬的位子，叫她來坐。

「明喝米桑[4]，烏瑪斯。」就坐烏瑪斯旁邊，看到腳下一個袋子染上血汙，嚇一跳說：「袋子裡裝什麼東西？」烏瑪斯笑她膽小。

「袋子裡裝山羌、兩隻野兔和四隻飛鼠。」烏瑪斯用手指比著戰果，那女人才安靜下來。

「哪裡打的，烏瑪斯，不是禁獵嗎？」笛安說道。

「在部落後面叫佟冬的森林，到佟冬需一天半的徒步，雖然路那麼遙遠，如果我兩星期沒有上山打獵，情緒就很糟。」

「你不曾想到吃膩嗎？」我好久沒有再吃野味，故意問他，看他是否聽懂我的意思，也許他會邀我一同享用。

「其實大部分給太太和孩子吃，我只吃飛鼠的大腸，飛鼠是吃草的動物，它們吃稀有的樹葉，所以它的排泄物是很好的藥材。以前族人都人高馬大，是因為吃小米、玉米和鹿肉，那裡像你們吃米那麼矮小。何況打獵可以作為太太嘮叨的避難所。」笛安很高興談起他的專長。

「聽我祖父說以前部落周圍就有山豬，晚上常偷吃田裡的玉米和番薯，為什麼到佟冬那麼遠的地方，都市人越生越多，山豬也應該增加，誰打死它們？」小弟弟又開口問，好像不理會老人的權威。

「都是貪吃的獵人，不然我也可在附近裝陷阱，好讓我的兒女吃肉。」

「你這酒鬼知道什麼。以前山豬打劫我們的糧食，我們不至於缺糧，因為腳步慢的山豬，隔天就我們餐桌上，蹄膀大的山豬回到山洞大量繁殖。所以獵人不會破壞這種良好的關係。」烏瑪斯說道。

「那為什麼部落附近只剩臭老鼠呢？」

「有一次碰巧碰到一群猴子，我發誓這不是吹牛。他們討論搬家的事，小猴子不耐煩而問老猴，為什麼頻頻搬家，而且新巢比舊巢還冷。老猴回答說：『因為故鄉已經不安寧，過去偶爾聽到炮聲，我們聽慣了，現在有車聲，汽油味、鋸木聲。一直擔心的事終於發生，他們砍走所有的樹木，放倒我們的巢穴，換上一排排人工種植的樹木。從此再沒有安全躲藏的樹幹，斷絕我們的食物，果樹不被允許長在單調的樹林，所以不得不搬到更深山來，飛鼠也不習慣一株株整齊的樹幹，那樣它只能在一個方向飛行，不能自由翱翔。其實動物大都來到這新樂園，除了有口臭的狐狸依戀汽油味，相信牠們會滅族，從此從地球消失。』這是我親眼見到。」每個人的嘴都被烏瑪斯的故事笑歪，連專心開車的司機也大笑。獵人最喜歡吹牛，他們吹得動整個部落，因為牙縫看不出一點虛假，臉上總是流露真情。當他大笑才知道自己受騙。

「禁獵已經好幾年了，山豬有沒有增加，再次統治森林。」我以前也夢想當獵人，捉野豬、套山鹿，受族人的讚美。但祖父沒有流傳獵人應有的東西給我。現在只希望多聽烏瑪斯打獵的故事，不管他是否吹牛。

「停止打獵是違反自然，獵人屬於這片森林，是森林裡生存的主人之一，不是外侵者。森林的糧食一定，動物生殖力強，越來越多，獵人可以減少動物為患的憂慮，反正動物也有自相殘殺的時候。最近聽說有幾隻老山羊，為日益增多的族群在一處草原生存不易，自落山崖。說真的，獵人只是平衡動物在森林的生存。」烏瑪斯沒繼續說，看看我們，怕我們聽不懂或有疑問，抓著頭繼續說。

「林務局，拓拔斯說的那個機構，一直破壞動物的家園，由蘆葦叢、山谷到相思樹林、松柏林，由草原趕到峭壁，甚至使他們不得不節育，他們還到處安撫受害的動物，給它們一片保護區，說是獵人濫殺，破壞自然。我雖沒摸過書，喜歡親近大自然，相信我擁有森林的知識，超過他們所知道的森林，他們應該停止砍伐。如果森林沒被破壞，我想不會年年有大洪水發生。」烏瑪斯指出大前年被洪水淹沒的水田，可以看到浩劫之後水田露出的大石頭，以及來不及收割而埋在泥沙的玉米桿。他的田也被沖壞，到現在還沒重新整地，他常告訴別人，相信明年還有洪水，修水溝、整好地也無法逃過。對岸是閩南人的屯墾地，每年一樣遭到不幸，但沖毀的堤防總是很快的再堆起來，他們五、六戶人家，怎麼可能每年造一個八百公尺長的河堤，我們一千多人的部落，卻不能保得住小片土地。

高比爾躺在車地板，睡不著又不想聽烏瑪斯敘述打獵的情況，口裡慢慢哼，重覆一句「歐依啞嘿，歐依啞嘿，」不是酒鬼獨有的激情嗓子，而是族人愛唱歌的聲帶，但沒有人與高比爾起共鳴。

「這長白毛的動物叫什麼啊？我從來沒看過那麼漂亮的毛。」剛上車的那女人，拉長尾音好奇地問。

「哦，也是飛鼠，但不是普通的飛鼠，它有靈魂。」車上的人都安靜下來，老酒鬼枕高頭注意聽，像小孩子聽鬼故事的神情，嘴微微睜開，原來他掉了一顆門牙。

「到佟冬的第二個晚上，正好月圓，我沿著山谷走，四處尋找下山喝水的山鹿，除了遙遠處山羌求偶聲、節奏一定的水聲，好像想說又不敢說的情歌，反覆再反覆。正發愁沒有雜音，我一向害怕安靜，尤其在森林。突然一個拉長的叫聲滑過我頭上，搖搖擺擺地飛到松樹林，一時沒注意，只看到白色胸毛，它慢慢爬，紅棕色圓圓的背，比一般飛鼠更長的尾巴翹得很直。快爬到松樹最末端，月亮正好在牠頭上，看起來古怪令我覺得可愛。走過去悄悄靠近它，用手電筒照它兇兇的眼，動也不動地瞪我。這次是難得的機會，何況我的袋子沒有一隻獵物，所以下決心把它射下來。牠又向松樹末梢爬，以為我是傻瓜，想用身體擋住月光，然後在我看不見時溜走。牠看到我正瞄準的槍管，遲疑一下，又滑下來，我以為牠要飛走。板機一扣，牠就躺在潮溼的苔鮮上，血液從胸部慢慢流出，沒有停止。說真的，我是無意的。我只想和牠開玩笑，獵人不該打死森林唯一有靈魂的動物。我怕牠的靈魂變為孤鬼，所以帶回來。」烏瑪斯好像在炫耀他的口才。

「算了吧，獵人誰知道靈魂，這美麗的白鼠就因為你的野心，靈魂沒有歸宿，它的身體被你凌辱，你太沒良心了。說你下決心射死牠，又說無意，不要騙人。」高比爾高舉米酒要烏瑪斯喝下，以洗清他的罪，這是酒鬼們的慣例。烏瑪斯接酒喝完，看來有點後悔自己多嘴。以前我也聽說白鼠不能侵犯，今天第一次親睹，其實和普通飛鼠沒有二樣，只是它有白色胸毛。

笛安緩緩地說：「高比爾．松魯曼那，你整天喝酒，說是讓靈魂得釋放，不管米桶是否填滿，甚至讓田地荒涼，你太太乳房越來越小，兒女的額頭越長越暴露。造物者不會祝福白天沉睡的人，玉米也不會長在沒有汗水的泥土，比起烏瑪斯你更沒良心。」高比爾聽笛安喊他家族的姓，臉更紅。他認為笛安不應該連松魯那一起責備。但笛安繼續說：

「食物是生存所必需的東西，沒有它生命將枯死，祖先教我們如何穿褲子以前，就教我們撥果子、套豬和捉母鹿，一切生命都需要吃。互相競爭是生存的『法律』，哈哈，臺中法學院來的，只要講到法律大家就不能再多說。競爭結果，高一等的生命靠低層次的生命維持生存。如果高比爾你注重靈魂，那瓶酒也是用有生命的米粒釀成。所以要生存就要建立自己的勢力範圍，也就是跟低等生命搏鬥，預防異族的侵略。老巫婆曾告訴我這些。」大家一直沒插嘴，笛安演獨角戲而有點累。

高比爾突然起身坐在車板，車子爬過最陡的山坡，放了兩圈濃煙，漸漸加速平穩地向前。到此我才放心，這車子實在太老爺，全車的螺絲好像都會鬆落，除了司機緊握剛換新的駕駛盤，它應該退休了。過兩處平緩的山坡路，梯田站滿一綑一綑稻草，我往車外伸手，跟他們揮手，然後又伸回車內。高比爾張大兩眼珠，五個手指指笛安說：

「好，那麼你是高等還是屬於低等的生命？笛安，」

笛安伸出舌頭，又縮回來，暗想高比爾是不是設圈套。然後有信心地說：「當然是屬於等級高的生命。」

「你今天怎麼會被別人吃定了呢？哈哈……還是一句話……，」

「法律。」他們異口同聲說道。大家都笑了。

注意笛安臉上的表情，沒有我預料中難看，他笑得比他們更痛快，也許是笑法律為什麼那麼神奇，笑自己被看不見的力量綑住，失去在森林掙扎的勇氣，笑自己是巫婆口中的低等生命。笑一個大轉彎，高比爾扮起極端歧視的嘴臉，掃視車內每一個人，轉到烏瑪斯面前，上氣接不上下氣，咳嗽停住他的嘲笑，好像魚刺哽住喉嚨，大口張開。我們又被他扭曲的鬼臉逗笑，他往我這邊瞧，好像求我的憐憫，我歪著頭給他一個微笑，然後看看車外。我很想告訴他們說：「笛安不應該遭到懲罰，他不知道那事犯法律。以前年輕人犯族人的習慣，如果他事先不知道那是錯誤的行為，頭目只責備他父母，沒有明白交代族人習慣。」他們只顧著大笑。

太陽在我們的笑聲消失了。天空剩下幾朵紅白色的雲塊，走過的路已看不見，司機打開大燈繼續向前。從稀疏的竹林可見東方淡黃色小米圓餅樣的東西，在腦中第二次浮現，才想到是月亮升高。不知怎麼搞的，對月亮怎麼變得那麼生疏。車子突然減速，然後熄火。

——摘自《最後的獵人》，晨星出版，二〇一二。

註4　明喝米桑，為布農族語，親切問候的的意思，類似「你好嗎」。

作者介紹

拓拔斯·塔瑪匹瑪

布農族人，漢名田雅各，族名拓拔斯·塔瑪匹瑪（Topas · Tamapima）。高雄醫學院畢業，以臺灣原住民醫療服務為職志，自願放棄醫生高薪深入臺灣各部落行醫，被譽為「臺灣原住民的史懷哲」。曾服務於臺東蘭嶼鄉、高雄三民鄉、桃源衛生所，現任職於臺東縣長濱衛生所。曾獲吳濁流文學獎、賴和醫療文學獎，著有《最後的獵人》、《情人與妓女》。（本文取自《最後的獵人》作者簡介）

除了「歌喉好」、「有口音」、「明亮的大眼睛」和「愛喝小米酒」以外，我們對原住民還有哪些了解？

臺灣目前原住民可以分為十六族，所有人口約有五十五萬人，約佔總人口數的2％。在漢民族尚未移居臺灣之前，原住民早已居住在美麗的寶島數千年，擁有以狩獵為主、農漁為輔的生活。在如此貼近自然山林的生活型態下，與萬物共生，環境共存，生命的奧祕幻化為傳說的神祇，靈性相連的觀念成為文化與信仰。

根據人類學對「南島語系」從臺灣、菲律賓群島、印尼，最遠到澳洲的毛利人的語言和人種的最新研究中發現，臺灣原住民極可能是南島語系文化的源頭。擁有這樣悠遠文化的族群，在現今的社會中，卻長期陷落在人數與價值差異的結構弱勢中，漸漸失去獵人的驕傲。

〈拓拔斯．塔瑪匹瑪〉這篇文章雖然只是截取部分內容，但是人物在車上的對話內容，談到原住民失去的生活型態、失去的土地、失去的山豬、失去的森林，足以反映原住民心理對自身生活價值與文化信仰的失落和困惑。而這困境來自於截然不同又強勢的美式生活型態對他們的「入侵」。這讓我想到地球另一端曾發生的相似情況，但是時間要往回溯及至西元一八五〇年代。當時的美國政府希望能以十五萬美元，買下位於現今華盛頓州普傑峽灣（Puget Sound of Washington）的兩百萬英畝土地。當時一位酋長西雅圖（Chief Seattle）回覆了一封動人且意義深遠的信，闡述了人與土地、族群與文化密不可分的關連。在此，我節錄幾段跟你分享：

總統從華盛頓捎信來說，想購買我們的土地。但是，土地、天空、河流……怎能出賣呢？這個想法對我們來說，真是太不可思議了。正如不能說新鮮的空氣和閃光的水波僅僅屬於我們而不屬於別人一樣，又怎麼可以買賣它們呢？

我們知道，人類屬於大地，而大地不屬於人類。世界上的萬物都是相互關聯的，就像血液把我們身體的各個部分聯結在一起一樣。生命之網並非人類所編織。人類不過是這個網絡中的一根線、一個結。但人類所做的一切，最終會影響到這個網絡，也影響到人類本身。因為降臨到大地上的一切，終將會降臨到大地的兒女們身上。我們知道，我們的上帝也是你們的上帝。土地是上帝所創造的，也是上帝所寶貴的。我們傷害了大地，就是對造物主的褻瀆。

正如同我們是大地的一部分一樣，你們也是大地的一部分。土地對我們是珍貴的，對你們也是珍貴的。我們懂得一點：世界上只有一個上帝。沒有人能夠分開，無論是印第安人，還是白人，我們終究是兄弟。

——翻譯自西雅圖酋長宣言〈Chief Seattle's 1854 Oration〉

回到〈拓拔斯．塔瑪匹瑪〉這篇文章中，高比爾說了下面這段話：

「算了吧，獵人誰知道靈魂，這美麗的白鼠就因為你的野心，靈魂沒有歸宿，牠的身體被你凌辱，你太沒良心了。說你下決心射死牠，又說無意，不要騙人。」他似乎嘲弄了包藏在現代文明中的野蠻靈魂，遙遠的回應西雅圖酋長深沉的憂心。

下雨的時候，我想淋雨。
身旁有同事好心要幫我撐傘，我都說不用，
因為在裡面的時候，連淋雨都不敢奢望。
可以淋雨，真是超幸福的。

死牢下的倖存者

—徐自強—

死牢下的倖存者。

徐自強是死牢倖存者，花了二十一年和司法纏鬥，證明自己的清白。被偷走的歲月，他失去父親的角色，只記得兒子七歲以前的樣子，但是因為家人從來沒放棄，他有了重生的機會。家有什麼意義？幸福是什麼？他的話不多，但是字字都是用生命刻出來的金句。

「別人說成長過程中，兒子失去了我。但兒子說：『不知道自己失去什麼……因為根本不知道有父親在身邊，是什麼感覺？』我聽了很難過，因為，畢竟他的人生少了一塊。」徐自強淡淡地說。

一九九五年九月一日是徐自強的獨生子徐永昱小學一年級開學日，這一天，發生臺北大直建商黃春樹遭綁架撕票。徐自強一直是這案件「共犯」口中的「同夥」甚至是「主謀」。他被判七次死刑、兩次無期徒刑、一次無罪、五次讓檢察總長提起非常上訴、被超過七十名法官審判……花了二十一年的時間，直到二〇一六年十月，才終於獲得無罪定讞。

今年四十八歲的徐自強現在在司改會擔任總務，一頭濃密的黑髮、精瘦的身材看不出來已經當祖父了。從二十六歲到四十七歲，人生中最黃金的二十一年，都花在證明自己無罪。他在一．三六八坪的死囚房間內等待：等待不知道何時會執行的槍決，或是那希望渺茫的翻案。被偷走的歲月，換來父母的白髮、妻子的離去，和兒子從幼童倏忽成年的空白。

在死囚房時，他最渴望的是「牽牽爸爸媽媽的手，抱抱他們，就是你們平常都在做的事情。」徐自強感概的說，爸爸媽媽在出事以後，從來沒有責怪過他，「那時候，我多麼希望他們可以罵罵我！」

在《一．三六八坪的等待》一書中，報導了關於救援徐自強行動和他家人的心路歷程，但徐自強完全都不知道。如同他從不在家人面前談自己在獄中的生活。其實，徐自強和家人都不想再去談過去發生的事情了，他們只想往前看，因為，「想到都太難過」。

談到過去和家人，徐自強話不多，字字卻都是用生命刻出來的金句，以下是他在採訪過程中的談話：

當全世界都放棄你，只有家人不會放棄你

一開始我很憤怒，心裡每天想的就是有機會要如何報復。只希望趕快有結果，快快死一死，但是，我的家人從來沒有放棄我。那時我對司法沒有信心，萬分之一都沒有。但是我媽說了一句話：「只要我還在，可以做的都要去做！」媽媽這樣講，我還能怎麼樣？

事情發生後，才知道家對我有多重要，因為當全世界都放棄你，只有家人不會放棄你。我全家人一直為我奔走，每一個人都沒有放棄我。

在牢裡面時，我常常很想父母，我多想他們罵罵我。但是你知道嗎，他們從來沒有罵過我。記得有一次我姊來看我，跟我說爸媽常會一直念、一直念。我跟姊姊說：「你知道這樣有多幸福，我想他們念我，都沒有機會。」聽到他們（父母）抱怨，就是一種幸福。

我現在在司改會當總務，就是幫助在這裡工作的人有舒適的工作環境。以前，都是人家幫我，現在是我幫人家，能夠幫助別人，讓我感到很快樂。

在這裡（司改會）工作的人都很固執，都有自己的堅持與想法，看到他們會很感動，因為即使經常遭遇到挫折，心裡有滿腹的苦水，但罵一罵明天還要繼續工作。你想，能夠成功救援一件冤獄要花多少年？

我也會去學校或是團體分享我的故事，其實一開始很抗拒，因為我一直以為臺灣人很冷漠，你看，我遇到這麼不公平的對待，但沒有人願意跳出來說些什麼。但是直到我真正地去分享自己的故事以後，才發現大家不是冷漠，而是沒有人知道我的遭遇。很多人聽了我的故事都很驚訝，他們從來不知道真的有冤獄，最常問的就是「為什麼會這樣？」「我可以做些什麼？」

為了爭取兒子無罪釋放，
徐自強的母親用無比的愛與堅強，
等待了二十一年，
最終讓這個家得以團圓。

司法改革，需要大家開始關心

面對司法改革，其實每一個人都可以做一點貢獻，要改變臺灣的司法並不是只有讀法律的人的責任。譬如，你可以去法院旁聽。在我自己的經驗中，沒有旁聽者的法院，法官開庭時會大罵律師、罵當事人……但是，只要有一個人坐在後面旁聽，法官就會比較客氣。夏天法院冷氣開得很強，你就去坐在裡面，在裡面睡覺，當法官覺得有人關心司法，就會認真審理。

不要以為司法離你很遠，生活中很多事情都會碰到司法。很可惜這些跟自己息息相關的生活法律，學校從來沒有教我們，即使教了我們也不夠認真看待，大部分的人都是碰到事情，才去找律師解決。

其實當你開始在臉書分享文章，也是發揮一種影響力。我們不需要所有人都相信你，但是需要大家開始去懷疑，只要開始有人懷疑，最後總有一天會找到真相。

但到底什麼是公平正義，只能盡量去做到而已，我不相信有什麼真正的公平。

少了一塊的人生

我入獄時，兒子才小學一年級，等我出來時，兒子已經大學畢業當兵快退伍了。其實我對兒子非常陌生，我也不知道那種父子間的親情感覺是什麼？因為生命中作為父親陪伴兒子成長的那一塊你缺席了，你就沒有辦法去感覺。現在我當的是兒子的朋友、兄弟，我猜他也是這樣看待我的。

當我聽到兒子在《一・三六八坪的等待》新書發表會時說，他不知道自己失去了什麼，因為根本不知道有父親在身邊，是什麼感覺？這段話聽在我心中感覺很難過，他的人生少了一塊。我也是。

我記得兒子七歲以前的畫面，腦海中的畫面就是七歲以前，七歲以後就是短短的會客，然後他就走了。我對兒子的印象永遠都留在七歲。

現在我的兒子也生了孩子，你問我會怎麼教我的孫子？我會說，我不會教，我只想給他們更多的愛。

大部分在監獄裡面的人就是缺少愛和關懷，他們所做的一些事情，其實是因為需要人家注意他們、關懷他們、愛他們。沒有人天生就願意當壞人的。只要一個人的心中，家的地位越高，那麼做事的時候，一定會先想到家人，不會先想到自己。對我來說，家給我的感覺就是很安全，只要想到家，就不會害怕。

在獄中，我才知道家對我很重要，在這件事情上，我得到的比失去多，終於了解內心想要的是什麼，什麼是幸福，我也是這段時間才真的了解。

自由，超幸福的

二〇一二年，〈刑事妥速審判法〉（簡稱速審法）通過，當我知道我獲得釋放，其實在要出來的前一刻，我還很懷疑，這是真的嗎？也不確定凌晨釋放時，外面會有家人在等我嗎？我那時已經不記得家裡的電話、地址了。

出來以後讓我覺得很不習慣的是，車子怎麼開這麼快，真是超快的，我很不習慣。其實，車子也沒有很快，但是我就是不習慣了。

自由以後，我最喜歡的就是走路，我可以走超遠的，在臺北市一直繞、一直繞。走路時我常常會想哭，那是一種感動，心裡不時想著：「我自由了！可以這樣走路，超幸福的。」

下雨的時候，我也想淋雨，身旁有同事好心要幫我撐傘，我都說不用，因為在裡面的時候，連淋雨都不敢奢望，可以淋雨，真是超幸福的。

——原載自：陳雅慧採訪，《親子天下》網站，二〇一七。

作者介紹

徐自強

現在在財團法人民間司法改革基金會擔任總務，他希望能貢獻自己的力量，為需要幫助的人服務。

陳雅慧

親子天下媒體中心總編輯。

曾任《天下雜誌》副主編。二〇一〇年加入《親子天下》，從財金領域轉到教育，在《親子天下》建立了縣市教育力調查、多次負責國際採訪、重要教育政策和臺灣實驗另類教育深度報導。

當全班都相信一件事的時候，你一定要接受這結果嗎？

徐自強先生因為被指控為一件綁架撕票案的主謀，從二十六歲到四十七歲，在一．三六八坪的死囚房間內渡過漫長的二十一年，期間超過七十名法官審理過這案子，被判七次死刑、兩次無期徒刑、一次無罪、五次讓檢察總長提起非常上訴，最後在二〇一六年十月，才終於獲得無罪定讞。

為什麼會有這樣曲折的過程？文章中有一段敘述令我不安，他說：「在我自己的經驗中，沒有旁聽者的法院，法官開庭時會大罵律師、罵當事人……但是，只要有一個人坐在後面旁聽，法官就會比較客氣。夏天法院冷氣開得很強，你就去坐在裡面，在裡面睡覺，當法官覺得有人關心司法，就會認真審理。」我相信並非所有的法官都是如此，但是只要有部分法官的態度是如此，整個司法體系所代表的公平正義將失去民眾的信任。

難怪徐自強先生會說：「但到底什麼是公平正義，只能盡量去做到而已，我不相信有什麼真正的公平。」這是他個人的失望，也是當前社會期待改善司法體系的原因。

關於司法問題，徐自強先生有提出解決的想法嗎？文章中他有如下的呼籲：「我們不需要所有人都相信你，但是需要大家開始去懷疑，只要開始有人懷疑，最後總有一天會找到真相」。司法體系中，法庭上的法官是何其專業公正的形象，正因為大多數的人選擇簡單相信，願意對權威提出懷疑的人太少了。在這權威表象背後的荒謬真相，讓徐自強先生失去人生中最黃金的二十一年，也讓我們失去對司法公平正義的信任。

面對權威我們要尊重，但是具備懷疑與批判的思考能力，才能帶領我們超越結果，繼續發掘未知的事實。

我從勒索、霸凌校內同學開始，
一步步走向江湖路。
後來我不只打學生，連老師、工友我也打，
誰敢惹我我就打誰……

我的大改人生

—張進益—

我的大改人生。

如果不說，你可能很難看出來，眼前這個有著憨厚笑容的好好先生，竟然曾經是個吸毒、販毒、買賣黑槍，兩度進出監獄的「七逃郎」。桃園少年之家執行長張進益的人生，是個浪子回頭的故事。

六十一年次的張進益，出生在臺中的一個小漁村，家裡有八個手足，父母連生了六個女兒，才終於生到兩個可以「傳宗接代」的男孩，張進益是家裡的老么。

因為家中食指浩繁，家境又不好，張進益的爸爸只好去跑船養家，母親也要賺錢貼補家用，都無暇管教孩子，張進益的哥哥到了青少年期，就誤入歧途混幫派去了，每天穿著花襯衫、窄款褲，騎著不知道怎麼弄來的比雅久機車到處遊蕩惹事。

張進益剛上國中時，原本還算正常，最多只是跟同學打打小架而已，但受哥哥的「盛名」之累，他也被師長貼上「壞孩子」的標籤，甚至有老師跟班上同學說：「那個張進益的哥哥是流氓，你們盡量不要跟他在一起。」

每次跟同學起衝突，無論對錯，被重罰的一定是他，甚至曾因為微不足道的細故，就被拖進教務主任的辦公室，強迫他趴下用藤條猛抽，「就像打狗一樣」。剛開始，張進益受了委屈還會拿回家講，「但不講還好，講了還會被爸爸再打一頓。」幾次以後，他開始憤世嫉俗，覺得乾脆走哥哥那條路還比較「神氣」。

於是，張進益從勒索、霸凌校內同學開始，一步一步走向江湖路。「後來我不只打學生，連老師、工友我也打，誰敢惹我我就打誰，」以前被打壓、冤枉憋下的一肚子鳥氣，現在通通加倍奉還，經常找哥哥「繞」人尋釁，一夥人凶神惡煞般騎著改裝過的摩托車呼嘯來去、橫行霸道，「當時不懂事，不但不覺得有錯，反而覺得這樣好帥、好爽！」

有一回，他恐嚇一個家裡很有錢的女同學，沒想到勒索不成，事情還鬧上了警局，父親氣急敗壞趕到學校，既痛心又憤怒，當著眾人的面給了兒子一巴掌，在學校當慣老大的張進益羞得無地自容，乾脆蹺家，跟著哥哥加「入行」加入黑幫，從此一步一步，走向沒有光的所在。

萬劫不復的毒品地獄

而毒品，更進一步將張進益推向萬劫不復的地獄。

剛開始是吸食強力膠，之後慢慢「升級」吸食小白板（FM2）、安非他命……等成癮性更強的毒品，最後，更沾上了復古之蛆般的海洛英。

為了方便取得毒品，張進益不但吸毒，還開始販毒，一路從小藥頭變成毒品中盤商，那一年，他才十六、七歲。不義之財來如流水，去也如流水，他經常上酒家擺闊，意氣風發拿出一整疊鈔票磚放在桌上，像皇帝一樣，若有小姐上來乾一杯，就抽鈔票打賞。「其實，海洛英會讓人變得麻木，對酒精或女人都不會太感興趣，那樣做，只是想填補空虛罷了。」張進益說。

因為毒品，也讓張進益吃上牢飯，但監獄生活非但沒有發揮矯正作用，反而在裡面「進修」到更多犯罪技巧、結識更多「人脈」，出獄之後，仍然繼續走他的江湖路。

對毒品無可自拔的依賴，就連至親死別的巨慟都無法挽回。

正所謂「出來混的，終究要還」，張進益的哥哥有一次北上「收帳」，收完後還打電話給張進益報平安，誰知道隔天，警方卻通知張進益去認屍，哥哥死在旅館床鋪，廁所還有故佈疑陣的針筒，兩百多萬的帳款跟隨身帶著的貝瑞塔手槍則都不翼而飛。

張進益非常清楚，哥哥絕對是被黑吃黑做掉的，要求解剖釐清真相，然而，當法醫的手術刀從哥哥遺體頸部劃下時，張進益卻心痛到無法自持，嚎啕大哭衝上去想對法醫動粗：「不要再弄了！」家人趕緊架開他，他只能眼睜睜看著從小最崇拜的哥哥被一刀一刀解剖開來。

他們兄弟是同一天生日，感情極其深厚，他們是彼此最信任的人，「我可以為他死，他也可以為我死。」哥哥的死，給張進益極大的打擊，他第二次入獄期間，的確有認真思考要金盆洗手，甚至在獄中還努力學佛，參加佛學會考得到滿分，被賜號為「居士」，出獄後，也有好一段時乖乖送貨，想重新做人。

但是，魔鬼並沒有放過張進益，在朋友的慫恿下，他又忍不住吸毒了，所有努力前功盡棄，再次陷入毒品深淵。

在清醒的時候，張進益想做個好人，但毒癮一來，他就變得六親不認。有一次，他又在注射毒品時，媽媽突然出現在窗外，哭著求他：「阿益，你麥擱注啊。」他看著媽媽的眼淚，心如刀割，但是，對毒品可怕的執迷渴望卻讓他不由自主，一邊與母親淚眼相對，一邊把海洛英打進自己的血管。

大改的救贖之路

張進益曾嘗試透過戒毒診所、針灸、催眠甚至喝符水來戒毒，但毒癮仍如附骨之蛆屢戒屢犯。每一次發作，全身就像有千萬蟲蟻啃咬，幻聽幻覺更是讓他幾欲發狂，渴望更多毒品，好幾次還因為吸毒過量被送進加護病房。

基於「死馬當活馬醫」的心理，家人安排他到一個福音「戒酒」中心試著戒癮，剛開始，他根本不相信那些「整天只會禱告唱歌」的人有什麼特殊能耐。但有一次毒癮發作得極厲害，痛苦欲死，張進益忍不住哀嚎呼求他們說的那個神：「如果祢願意救我，我這輩子就給祢用！」

說也奇怪，狂躁的內心竟慢慢平靜下來，沉沉睡去，醒來時，身體極其虛弱，但內心卻有一種前所未有的澄清寧靜。他感覺，這一次，是真的得救了。

而從那一年起，不要說是毒品，張進益連香菸、檳榔都沒再碰過了，以前那種瘋狂的渴望，就這樣消失了，「若不是上帝，我今天的下場，恐怕不是死，就是關吧。」

成功戒毒以後，張進益去讀神學院，拿到教牧碩士，並兌現他對上帝的諾言：把他的人生完完全全奉獻給像他一樣的「飛行少年」（「非行」的諧音，亦即非常行為、行為偏差）。

張進益從二〇〇一年開始擔任少年之家的大家長，輔導一些曾經誤入歧途或家庭失能的孩子們，至今已經十七個年頭。頭十年，只有他跟太太兩人照顧這群孩子，財務上只能依賴有限的政府補助以及民間捐款，壓力極大。

有些捐款人一聽到他們的孩子是飛行少年，就打消念頭了，說他們想要捐的不是「這種」孩子，「一旦犯過錯，標籤就很難撕下來，」張進益苦笑。

有一次，一對夫婦來看，反應也是如此，丈夫大概覺得直接走人不好意思，便說：「來都來了，隨便捐個三百好了。」張進益頓時覺得很受傷，要是以前，早就把人轟走，但是他腦海中卻浮現一個聲音：「每一塊錢都是給孩子用的，要感恩。」他捺下怒氣，重新堆上笑容，恭敬收下了那三百元，捐款人離開以後，才忍不住與太太相擁而泣。

他們熬了十年，財務才勉強比較穩定，而比財務窘境更艱難的是：如何挽回迷羊。這些孩子多半來自問題家庭，不少人的父母進出監獄多次，有人甚至連父母都沒有。剛來的時候，個性都像刺蝟一樣，行為油條、滿口髒話，衝突滋事根本家常便飯，甚至有些還會霸凌他的親生孩子。

「但他們只是沒有被好好愛過而已，所以不懂如何愛人，」張進益承認，這過程中，經常感到灰心失望，但他自己是過來人，他懂他們的「壞」，也懂他們的期盼與渴望。

為了讓孩子們發洩精力、穩定情緒，也為了讓他們找到價值感，二〇一二年，張進益成立「大改樂團」，給孩子們學習樂器，並帶著他們到學校、監獄去巡迴演出，慢慢的，竟打出了一些知名度。

這十七年來，雖然非常辛苦，但也滿滿甘甜。那些曾經被放棄的孩子，很多都慢慢回到人生正軌上，有人考取輔導員，還有人得到總統教育獎，也有人發揮自己的音樂、運動等長才，琳瑯滿目的獎狀、獎牌，成為少年之家最好的裝潢，而他自己，也於今年被按立為牧師。

他把這一切都歸功於他所信仰的上帝，「《聖經》裡不是說了嗎？恨能挑起紛爭，而愛能遮掩一切過錯啊。」

——載自：李翠卿採訪，《親子天下》第九〇期，二〇一七。

作者介紹

張進益

現任桃園少年之家執行長，投入社會工作陪伴飛行少年已將近二十年，他期許自己用愛與接納，幫助孩子找到自己生命的方向；曾創立大改樂團，進入少年監獄演唱。面對每年六萬多件青少年案件，張進益期待更多有志於社會工作的夥伴們一起加入，讓愛流動在社會每個角落。

李翠卿

臺大政治系，政大新聞研究所。曾任職於雜誌社多年，現為自由文字工作者。作品有：《我的十堂大體解剖課：那些與大體老師在一起的時光》（八旗出版）、《在愛裡，我逆著光飛翔：音樂夢想家黃裕翔的成長故事》、《替未來尋找一顆星：來自科展的故事》、《用手走路的發明王》（以上三本皆親子天下出版）等。

如果有機會穿越時空，你會想回到過去，重新改寫自己的人生嗎？

我不知道你對於自己的未來有什麼計劃，但是我知道，我們每個人都無法計劃要在什麼樣的家庭出生，擁有一對什麼樣的父母。文章中張進益先生出生在一個食指浩繁，家境又不好的家庭，父母為了賺錢養家，都無暇管教孩子。張進益先生在家中缺乏愛與教養，在學校更缺乏被關心與理解，他開始憤世嫉俗，覺得乾脆走哥哥那條江湖路還比較「神氣」，我想這份神氣實際上是要填補他心裡缺乏的自我價值感。

或許聰明的你心裡會想，選擇了錯誤的方向，終究會走向錯誤的道路。但問題是：「我們真的一開始就知道什麼是正確的嗎？」現在的我，回頭看看自己成長的過程，我也犯過許多錯誤，而且這些錯誤的開頭，我都以為是對的。犯錯固然不好，但是錯誤讓我有許多學習與成長的機會，因此，擁有在錯誤中學習的能力和大改的行動，才是修正生命方向的關鍵。張進益先生就是在一個奇妙的緣分下，透過宗教的影響開啟大改人生的契機，而過去所有的錯誤頓時都轉變成為最有價值的經驗與動力，不僅改變了他自己，更改變了別人的命運。

已故的蘋果電腦總裁賈伯斯（Steve Jobs）說過一段值得思考的話，他說：「你無法預先把現在所發生的點點滴滴串聯起來，只有在未來回顧今日時，你才會明白這些點點滴滴是如何串在一起的。」在你眼前的生命之旅充滿奧祕，現在的你或許無法參透你所經歷的一切，但是請相信，有一天，你會在一個奇妙的時刻，發現這一切串連起來的目的，而你的生命意義也將在其中，閃閃發亮。

坐父親車子的時候，我多半側頭看窗外，
欣賞打扮入時的男男女女與商店街的七彩霓虹。
面對全家人的溫飽，
父親是否曾經欣賞過這座城市的迷人體態？

小黃之城

—吳柳蓓—

小黃之城。

冬日清晨，天還灰著，翻身的瞬間留意到門縫底下一抹客廳折來的光源，很微弱的黃。我刮亮耳膜聆聽父親早起的聲音，從客廳到浴室，水流聲清楚流進我的心房，意識更加嘹亮。然後我聽見廚房掀鍋蓋的窸窣聲，揉開塑膠袋的細碎聲，注開水進保溫瓶的滴咚聲。在意識靡爛之前，我用剩餘的知覺模擬父親出門開車的畫面：「整齊的西裝頭，擦傷的老皮鞋，刷白的卡其褲，還提著溫水瓶、一粒自製米飯糰以及一串鑰匙。」最後的關門聲撞破這易脆的畫面，這一刻我完完全全的醒來。

確定父親出門了，我起身拉開窗帘查看外面的天氣，陰冷潮溼，玻璃窗貼著一層厚重的淒霧，我用手指頭輕輕畫開，寫了「爸」，眼淚不自覺流下來。星期日的清晨，他比平常更早起，去載那些醉倒在 pub 或夜店的青年男女，生意比平常日子好太多，早起的鳥兒有蟲吃，他常這樣自嘲。我用袖子擦掉玻璃的霧氣，可以看見幾條人影在街道走著，零星的計程車和私家轎車呼嘯街頭，屬於白晝的聲音逐漸流離在城市的心臟。我猜想此時父親正在哪條街，載著哪位客人，說著哪件適合不相熟的主客聊天的話題，或者沒有目的地的反覆繞駛。

我想起兩年前的某一天騎著機車趕為一名客戶送文案，等待紅燈的間刻，瞥見對面馬路停著一輛眼熟的計程車，我瞟了車牌，是父親。車水馬龍，我無法讓父親看見我，實際上我盡可能的閃躲，車裡只有父親，他身體向前，神經質地探看後照鏡，我尾隨他的目光，看見人行道上一名女子慢了下來，那名女子從包包裡取出手機邊講邊走，未搭理父親亦步亦趨的詢問。那一幕真教人於心不忍，那抹挫敗的神情，我讀一眼就懂。父親開車養家的辛酸，我必須將它當作一樁祕密保守著，我曉得父親並不希望我看見他的軟弱或是載不到客人心亂如麻的心情。

在臺北，我從不搭計程車，除了父親的。有時工讀時間晚了，捷運和公車都已收班，我一個人站在公司樓下，心裡湧起一股走路回家的念頭，反正十二點之前的臺北街頭都還閃著炙人的霓虹，車潮依舊白日，我壓根不害怕。邁開步伐，手機就響起，父親在電話那端問我下班的時間，不到十分鐘，連人帶車出現眼前。我看了錶，十一點五十五分，距離他早上五點鐘離家已經超過十九個小時。我曉得他故意在我工讀地點的附近繞駛，每次打電話跟媽媽報備加班的同時，父親便自動加班到與我同時，所以我經常在加班晚歸的時刻搭父親的車子。坐在車內觀賞五彩繽紛的街景，儘管軀體疲憊不堪，精神卻像黎明的曙光。等紅燈的間刻遇到客人揮手攔車，一向不漏載的父親毫不考慮地將「空車」轉向方向盤，他捨棄夜間加乘的小利，只想盡快載他的女兒回家，梳洗一番然後安眠。

坐父親車子的時候，我多半側頭看窗外，欣賞打扮入時的男男女女與商店街的七彩霓虹，這城市總是太美麗，讓人忽略美麗之下的現實，不曉得父親是怎樣的想法，面對全家人的溫飽，他是否曾經欣賞過這座城市的迷人體態？抑或是無動於衷。無線電響起，電臺小姐詢問父親中山北路有位穿紫色衣服的小姐叫車願不願意載，父親拒絕後順手切掉電源，轉頭問我餓不餓，車子已經停在豆漿店外。

豆漿店裡有幾位父親的同事正在吃宵夜，他們曾經跑過白天的班，但是最後統統選擇夜間上路。他們一致認為白天的臺北太過刻板，每條馬路就像無數的手扶梯直直往上沒有止盡，不若夜色淒迷，像調情的鋼琴師，專門以音符撫慰無眠人的靈魂，心事與夜色相濡以沫，無需多言。父親捧了一杯豆漿一塊燒餅遞給我，燒餅剛起鍋，豆漿的溫度剛好入口，重新換檔起步，往家的方向直駛。坐了一陣子父親的夜車之後，我才學會欣賞這座不夜城；不夜城遮掩赤裸的白日，父親早起出門掙錢的聲音不曾在夜間響起，所以我真的愛夜。

車子轉進興隆路，市中心的囂鬧逐漸拋在背後，天空繁星點點，醉風茫茫，心情飲了一杯透明的夜，才有一點夜深人靜的滋味。留意到父親的右腿隨著離合器墊高又放低，反反覆覆，像在運動哪條不對勁的筋路一般。想起幾天前媽媽跟我說父親的右腳掌終年踩離合器踩出一圈病灶，像虎口大的疼痛部位竄到膝上來，十幾個小時踩了多少下離合器就痛了多少次。醫生沒有給根治的藥，僅淡淡的說：「多休息，自然痊癒。」這句話父親若有聽進去，他現在應該躺在床上呼呼大睡，而非在凌晨的街頭以疼痛換取家人美麗的夢。想到這裡，我又哭了，眼淚貼在臉頰冰冰涼涼，刺激原本就很清澈的情緒。我不敢轉頭看父親，更不忍卒睹他的右腿，我連一句關心的話都使不上力，我害怕一出聲，那狂烈的情感會教父親難堪以致自卑。

所以我習慣坐父親車子的時候將頭轉向窗外，瀏覽紅燈男女順便散步自己的心情。他習以為常了，女兒上了車，隨便聊兩三句便不再說話，或許他以為上大學的女兒已經脫離撒嬌的階段，或許有知心的男朋友，或許同事之間鬧彆扭，或者其他作為父親絕對不清楚也幫不上忙的心事。那就沉默吧，父親沉默到底將車子駛向指南山下的家，一進門，外頭的月光折射到室內的壁鐘上，十二點三十八分，距離父親早起出門開車只剩下四個半鐘頭。

我必須接受，那些數以千計的街頭小黃總是不分晝夜的扮演這座城市的升幕和閉幕，於此，我才能夠釋懷一些。

——原載自：《裁情女子爵士樂》，遠景出版，二〇〇九。

本文曾獲第十一屆臺北文學獎成人散文首獎。

作者介紹

吳柳蓓

彰化縣北斗鎮人。南華大學教育社會學碩士、文學碩士。曾在大學教書，喜歡旅行、養花、美食跟走路。二〇一一年起旅居北加州矽谷。曾獲得臺北文學獎、梁實秋文學獎、教育部文藝創作獎、香港青年文學獎等若干獎項。著有《加州走台步》（木馬文化）、《租借日記》（九歌）、《沒有門牌號碼的國度》（健行）、《移動的裙襬》（寶瓶）與《裁情女子爵士樂》（遠景）。

你願意和他人分享你父母的職業嗎？為什麼？

記得小學四年級剛開學時，新導師要我們填資料，其中有一欄是家長職業，要請同學在表格上自己填寫。表格上面有軍、公、教、農、工、商等好多工作的空格可以打勾，最後還有一個欄位是「其他」。沒多久，老師要將資料收回去時，有一位女同學遲遲沒在空格裡打勾，也沒有在「其他」這個欄位填上職業，老師走過來問她，她也不回答，只是靜靜看著那份資料。這時，突然一位同學說：「老師，她爸爸是在市場賣魚的。」當時我念的國小學校不大，所有同學都住在北投奇岩新村附近，從幼稚園就一起玩到大，所以同學父母的工作除了新老師以外，大家彼此都很清楚。這位同學的爸爸賣魚，媽媽賣菜，她放學後有時還要去幫忙，生活是辛苦的。當她聽到同學說出她父親的工作時，瞬間整張臉通紅，原本已經低垂的頭似乎又垂得更低了……

你怎麼看待自己父母的職業？不同職業類型的確有能力與專業上不同的要求，一個人從事的工作跟他為自己累積的職能發展條件有關，也有職務和收入上的差異，但是每個人從事的工作，無法用來解釋他心裡面關於情感付出的意願，以及愛人的能力。

臺灣鄉土文學作家黃春明先生有一篇小說叫〈清道夫的孩子〉，故事中描述主角劉吉照是個四年級的小學生，他「在學校的小天地裡，是個大文豪、藝術家、運動家，同時在小小的腦袋瓜裡也有自己一套微妙的哲學」。有一次，他因為在學校犯了錯，被老師處罰掃地，沒想到他以這個自己親身的經驗，擴大解釋從事清道夫工作的父親，一定是犯了極大的錯誤，才被指定從事沒有終止的打掃工作。幼小的劉吉照不能理解真實社會裡的各行各業，都有其存在的價值與意義，職業地位的高低與人的行為、貧富並沒有直接對應的道理，而這份誤解和怕被同學嘲笑的壓力卻讓劉吉照放聲大哭，連校門也不敢踏進去了。

我們是不是誤解了「職業」，將它視為是一種社會「標籤」？

閱讀這篇〈小黃之城〉的過程中，我不時地想到另一篇描寫父愛的散文作品，由朱自清先生撰寫的〈背影〉。兩篇都以內斂溫潤的文字，描述父親為孩子付出的行為，讓讀者感受父親內心深埋沒說出口的情感。父親接送女兒回家的段落，非常樸實又動人：「故意在我工讀地點的附近繞駛」，「等紅燈的間刻遇到客人揮手攔車，一向不漏載的父親毫不考慮地將『空車』轉向方向盤，他捨棄夜間加乘的小利」，「電臺小姐問父親中山北路有位穿紫色衣服的小姐叫車願不願意載，父親拒絕後順手切掉電源，轉頭問我餓不餓，車子已經停在豆漿店外。」女兒雖然坐在車上，但在父親心中卻是將女兒捧在他手心一般。

人與土地

—阮義忠—

我曾把自己埋在地瓜葉中，
深深怨怒自己「不幸」的身世，
也曾掄起鋤頭，狠狠地朝菜園旁邊的尤加利樹砍打，
咒詛那片貧瘠的土地。

人與土地——我的攝影主題，我的成長背景。

我的童年，除了在學校上課，大半時間都耗在家裡的一畝菜園，從我走得動路，提得起東西的年歲開始，就得替兄長送點心和午飯到他們的勞動現場去。稍大，我得幫忙推滿載地瓜或花生、紅豆的二輪板車，接下來就得割菜、鋤地，接替兄長的勞動了。我們家的七兄弟姊妹，每個人都吃足了勞動的苦頭，從小就是農夫。我厭惡這個身分，努力地想洗去這個父母加在我身上的可恥印記。

事實上，我的父親並不耕地。他是個小鎮的木匠，因為節儉成性，捨不得把先人留下來的那塊河川旁的礫石地閒置，就讓他所有孩子的童年都在這塊貧瘠的田地裡受盡折磨。

礫石地的土壤不易保存。每當近旁的河水決堤，地表的泥土就會被沖失。於是，我們就必須把礫石挑掉，再往下深掘，好讓地下的泥土翻到表面來，光是每次豪雨過後的翻土，就讓我們痛苦不堪。我曾在烈日當頭中暑暈倒，在驟雨中被淋得發抖打顫、被道道由頭頂陰沉天空劃過的閃電，嚇得大哭……。

我曾把自己埋在地瓜葉中，深深怨怒自己「不幸」的身世，也曾掄起鋤頭，狠狠地朝菜園旁邊的尤加利樹砍打，咒詛那片貧瘠的土地——為什麼阿爸的七位兄弟中，唯有他繼承了這畝不育的砂礫！為什麼我們無法像堂兄弟那樣，一下課就可以到處玩耍，而必須被這沉重的命運釘在土地上。

我在田地裡的勞動經驗，一直持續到高中畢業，離開家鄉的那年為止。在這個時期，我從土地得到的只是一股怨恨的情緒。這就是我的成長背景，生命中一個沉悒笨重的包袱；我扛著它走了很長而且是錯誤的一段路。

我於是有強烈的反叛傾向。由於所有課餘時間都必須下田，翹課便成了我唯一能享受的個人時間的方法。初二那年，我因曠課太多被勒令退學，跟著父親和大哥學了半年之久的木匠功夫，差一點就要以這個手藝度過一生。還好，在外地謀職的一個叔叔於返鄉時看到學木工的我，帶我到他任職的冬山鄉重新就學。

之後，我逃過家，在臺北的職業介紹所受了騙之後，又厚著臉皮回到家裡。那時我已明白，以自己的年紀和能力，一點也掙脫不了被沉重勞動緊緊綑綁的宿命。於是，我改變方式與痛恨的身分拚鬥。

由於冬山鄉離老家有一個半鐘頭的車程，我每天都必須以火車通學。那時候，我是這所偏僻初級中學裡唯一的外地學生。在學校裡，沒人知道我是個粗賤的小農夫。為了把自己裝成出身於很有體面的家庭，談吐也自然要比當地孩子有「深度」才行。在這種偽裝的努力下，我必須隨時去看一點書，才有好材料對同學們高談闊論。

於是，我養成了看課外書的習慣與興趣。我的讀書是由一些流行的文藝女作家作品開始，慢慢連世界名著翻譯也念得進去了；最後，就連生硬的哲學書籍也生吞活剝、囫圇吞棗地讀了起來。就這樣，我一日又一日地在自己那小小的方寸上，建立起「我是有知識、有深度的現代人」的心態與身段來。

當時的我，只有用這種可笑的方式才能逃避無法面對的現實，也才能忍受回家後面對沉重鋤頭和貧瘠土地的痛苦。從初三到高三的四年間，我幾乎把上課的所有時間都用來偷看閒雜書刊。也就在這個時期，我開始把從小就有的一點美術天分，發展成與我反叛心理有密切關聯的繪畫傾向。我畫的是最前衛的抽象畫——一個完全沒有泥土、沒有勞動的世界。

啊，那時的我，已認為所有和泥土有關、沾有汗水臭味的東西都是卑瑣的、可恥的。我相信自己本來就該追求精神方面的事物，發揮想像的潛力，鑽研觀念思索……只有這一切，才是文學、藝術的本質。對那時的我來說，人已經活得夠苦了，何必再在文學藝術上挖掘令人不快的事情呢？

回想起來，我並不是完全因為性格與理念而一步步走上這條路的。當時整個臺灣的文化環境與氣候，讓年少的我產生極大信心，覺得自己簡直和當時帶領風騷的文學藝術潮流同步！

二十世紀六〇年代的臺灣，存在主義剛被引進，法國的「新小說」陸續被翻譯，有些歐美的「觀念藝術」也在島內拉開序幕。前衛的敲打樂曲在臺北叮叮咚咚地響起，而艱澀無比的現代詩竟也能在文學青年口中互相引述……而所有的這些文字、曲調、圖像是一點也不帶現實生活的人間性與泥土味的——這不正是我所追求的夢土？

我把這些舶來品、西方現代主義理解成對傳統的最大反叛。「新小說」中的人物與「新劇本」裡的角色，不一個個都是鄙視過去、敵視社會、對別人漠不關心、對自己的存在有莫大興趣？在當時的文學青年世界裡，似乎以這種態度生活，才意味著發揮最大的自由。唯有自己才是命運的主宰。倘若與別人有所相干，無異是糟蹋了自己！

我就是在這種「現代」風氣下，做過一場很久的惡夢。如今，我何其有幸能醒了過來。是攝影使我甦醒的，是相機觀景窗看出去的那群人與那片土地，讓我發覺到自己成長過程中所犯的錯誤，讓我把童稚時代的怨恨化為摯愛。

在攝影的路上

我所擁有的的第一架相機是專業化的單眼相機，在光圈、速度的曝光值設定方面，只需花上半個鐘頭去了解，就可進入狀況。況且還有準確曝光表可供參考，如果不需搶鏡頭，只要慢慢調弄，拍出在技術上沒有差錯的照片，是一點也難不倒我的。然而，這駕性能優異的照相機，在我剛踏入攝影之路時，竟帶給我無比的煎熬。

由於鏡頭光圈很大，反光稜鏡又是那麼透亮，從觀景窗看出去的影像，竟要比以肉眼目視明晰得多。所面對的一切，一下就被特定的框框界定出來了，令我一點也無法像往常一樣，漫不經心地瀏覽、逃離發生在周遭的事情。

單眼相機在調焦時會顯示物件的景深，讓你看到一個人的輪廓由模糊到清楚。這樣的過程，簡直就像是在探討此人的意義。如果這個人對我沒有意義，我就沒有理由把焦距對在他身上，我這麼困惑地想著。

照相機開始令我質問自己——到底，你要拍什麼？拍眼前景物的哪個部分？在一群人當中，要把焦距凝聚在哪張臉孔？在萬華的巷弄裡，到底應該拍觀光客圍著賣藥郎中看表演，還是拍躺在街上的乞丐？這些質問的關鍵中就只有一個——你看到的東西對你有什麼意義？只有當發生了意義，才會自然而然地明白如何構圖、把焦點對在哪裡、在哪個瞬間按下快門。但是，當此人和她的生活對你沒有任何意義，你就會像個呆子，背著相機在大街小巷裡亂晃。

說實在，我曾經背著相機「亂晃」過很長久的一段時間。並不是我對觀景窗內看到的東西無動於衷，而是我又重新看到自己成長過程所孕育的怨恨。透過相機，我又看到了農林、土地、勞動和永遠一成不變的生活……我無法在我怨恨的那種生活方式中去找創作題材，去發現值得肯定的意義呀！

一直到現在，我還不很清楚，自己是在什麼時候、什麼情況下熬過那個拒絕土地、拒絕現實生活的階段。我只知道，自己的怨恨情結是如此之深，以至於沒有任何單一事件能使我解開糾結。也許是因為那麼沒信心、那麼虛弱，所以我只敢把相機去對準那些完全不會排斥我的人——看起來就感覺到和藹可親的一些臉孔。但我終究走對了第一步，在人性最真誠、最善良的一面中求得了庇護。慢慢地，我發現，擁有這種可貴氣質、良善的人們，都是那麼認命地在自己的土地上工作著、生活著。他們大都是沒有受過什麼教育的鄉下人，更沒念過什麼存在主義、現代詩。他們的一切都是從勞動、土地中學到的。我的鏡頭開始不知不覺地為這些東西所吸引；但我怎麼也無法將農村、土地、稻田和勞動的人們拍成沙龍式的異國情調或田園風光。因為對我來說，這一切都太熟悉了！透過觀景窗，我的童年、我的艱苦歲月、我的自卑和誇大都回來了。

我就是這麼一天天地拍下來的。那些人，那些土地，透過我的相機令我溫暖和感動，使我一天天從幼時的惡夢醒過來。有些冰封的東西開始在我心中融解，我漸漸不再覺得自己的成長過程是可恥的經驗。

十三年就這麼過去了。回歸來路時，攝影工作等於是我對自己成長過程的檢討。那只是自私的行為，我沒有拍出這些可敬的勞動者所面臨的困境，只是表達出了令我重生的這份高貴情操，展現了令我重新敬畏、感激的這片沉默而寬容的土地。

這段期間正是臺灣農村急速變遷的階段，被漁農業養肥的工業突飛猛進，卻在農村留下一大堆問題：農產品價格低落、人口外流、農業對土地與作物的汙染、運銷中間商的剝削、稻作休耕與鼓勵轉作措施的短視……。這一切都使鄉下人土地之間的關係，有了重大的變化。

今天，人們似乎再也不能像過去一樣，完全相信土地會帶來希望。他們竟也開始感覺到土地是個包袱，意識到大地在一日日的敗壞中死去——被現代工業的公害所汙染，被過量施用的農藥所毒傷。他們的土地一天天在改變，他們令人感動的氣質也一天天在消失。人與土地的關係，再也不會是以前那個樣子了！

但這些問題並沒有出現在我十三年來的作品裡。我的照片是人與土地親密關係的一些痕跡。我急切地想要把重生的經驗傾吐出來，急切地想在自我救贖的過程中，找尋任何可以看到的希望之光。也許，人與土地必須回到以前那種親密的關係，活在這塊土地上的人們才會有希望……。

——原載於《想見，看見，聽見：走出鏡頭之外》，有鹿文化出版，二〇一五。

阮義忠

一九五〇年出生於臺灣宜蘭。早年曾任《幼獅文藝》編輯，退伍後任職《漢聲》雜誌英文版，開始攝影生涯。一九七五年轉任《家庭月刊》攝影，同時撰寫本土攝影報導文章。一九八一年，由攝影跨行到電視節目製作，以紀錄片《映象之旅》等廣為人知。

一九八八年起任教於臺北藝術大學美術系長達二十五年。

四十年來，阮義忠跋山涉水，深入中外，尋找動人細節，拍攝了大量以日常生活為題材的珍貴照片，著作豐富，出版《日本・一九八二》《在他鄉》《想見，看見，聽見：走出鏡頭之外》《想念亞美尼亞》《失落的優雅》《正方形的鄉愁》《北埔》《八尺門》《人與土地》《台北謠言》《四季》等；論著《當代攝影大師》《當代攝影新銳》被視為華人攝影界的攝影教育啟蒙書；創辦的《攝影家》雜誌（1992-2004）被譽為攝影史上最具人文精神的刊物之一。

阮義忠攝影作品為海內外重要機構展出及收藏。二〇一三年，獲頒第一屆全球華人傳媒大獎「攝影文化貢獻獎」；多年來深刻且廣泛影響全球華人地區的攝影視野。

焦距凝聚之處，正是你情感所在的地方

在〈人與土地〉這篇文章中，阮義忠先生以自己的成長歷程，述說了一則人與土地、衝突與和解的故事。從小學到高中，讓他受盡折磨的是一塊父親繼承來的貧瘠田地，童年和青少年成長的主調是被土地限制的宿命所形成的叛逆，從掄起鋤頭，狠狠地朝菜園旁邊的尤加利樹砍打，到高中時期想建立起「我是有知識、有深度的現代人」，來掩蓋粗賤的小農夫的身世。他說：「當時的我，只有用這種可笑的方式才能逃避無法面對的現實，也才能忍受回家後面對沉重鋤頭和貧瘠土地的痛苦」。甚至，就連繪畫上的風格，都選擇一個沒有泥土和勞動的抽象繪畫世界發展。

後來他讀起現代小說與詩作，讓「自由」沁入靈魂，以自以為「現代」的冷漠作為他對過往最大的叛逆。讀他這段不斷在生活中試探、衝撞、切割、改變的歷程，為的就是要成為理想中，那個自由而美好的自

己。但是那個自由而美好的自己真的存在嗎？切割了血脈與家庭就是新的自己嗎？

攝影，成為阮義忠先生生命的轉捩點。從相機觀景窗思考拍攝對象，碰觸到一個關鍵的質問——你看到的東西對你有什麼意義？這讓阮義忠先生在觀看別人時，無可逃避而誠實的面對自己的感情所繫與價值認同，那曾經被叛逆刻意冰存的人與土地，在鏡頭下以溫暖、善良、高貴的臉孔和勞動的姿態逐漸被融解，讓他在攝影中療癒自己，也救贖了靈魂。

各位讀者，你是否也曾想像不被父母限制，不被教條管束，甚至像阮義忠先生一樣，割離家庭出身連結的宿命，渴望擁抱那「自由而美好」的自己。「做自己」是生命中重要的成長課題。父母給予我們軀體與生命，但是我們要為自己賦予靈魂。「做自己」，並不代表需要否定自己的出身。成長的過程總有一個階段想追求實現「自我」，但是在更成熟的階段，會渴望一份和解的「圓滿」。我想個人是如此，國家社會也該是如此吧。

問不到這花的名字，我心裡有所不甘。
再說，在我的想像中，
這麼美麗的花，
它一定有一個相稱的名字……

等待一朵花的名字

—黃春明—

等待一朵花的名字。

像這樣在直覺上就令人覺得很是詩情畫意的題目，通常都是屬於多愁善感的女作家，普遍慣用的風格。她們用起這一類的題目，不但順理成章，一開始即可憑題目和筆名連在一起，吸引眾多年輕讀者，產生官感效應表示喜愛。但是，當我也用這樣的題目時，自己就先跟自己過不去，覺得十分不搭調、不配。想另換個題目嘛，根據所要寫的內容，卻又找不到第二個比「等待一朵花的名字」更恰當的。照原來決定的用嘛，又心虛得很。生怕讀者一看到題目和不是女作家的名字時說：「哎唷，噁心死了！」

我想我這種顧忌並非自尋煩惱。絕對有可能。因為我看東西，也常有這種居於惡作劇與惡毒之間的極短評。這個題目，有人用得，也有人用不得的。可見男女還是有不尋常的不平常。做為一個男性作家，我抗議。不管三七二十一，我不能不用這個題目。

事實就是這樣。我確實在一個地方等待一朵花的名字。

那一天傑魯得颱風過後，我回宜蘭鄉下去看扔在那裡的空房子，順路跑到蘭陽濁水溪出海口的堤防上，去看一篇小說的外景。時值黃昏，堤防上的便道過往的人不多。我放眼隨處瀏覽，不覺間，我的視線被一朵開在便道邊的野花吸引住了。它就在眼前，我走了幾步，蹲下來仔細端詳。我發現它近看比遠看迷人。但我不敢描繪它迷人的模樣。因為那種令人憐愛的氣質，就像一張畫，畫得再像，也無法抓住的那一份生動的生命一樣。它很耐看，要不是我蹲得腳都痲了，我想我不會站起來。我看到同樣的花，零零星星地散布在這一帶堤防的斜坡上。是一種爬藤類中型的乳白花。這時我除了喜歡它的美麗之外，心裡還有一種不甘。長在它身邊的雜草，例如起馬鞭、雷公草、牛圳叢、臭頭香等等，我都叫得出名字，唯獨它我卻陌生。心裡急得要得到答案。不一會，有幾位中學生騎著車子過來了。我攔住他們問。他們沒有一個知道。

「你們是不是這裡的人？」

「我們都是這裡的人。」

我順便問他們其他雜草的名字，他們還是回答不出與他們生活在同一地區的草名。他們都是本地的農家子弟。我目送他們揹著鼓鼓的書包遠去的背影，心裡有一份黃昏時分的惆悵。

過後，有一位公務員模樣的青年人路過。他也是本地人，也不認識這花的名字。問他看過這種花嗎？他說好像看過。他不想我跟他多搭訕，他一邊走一邊回我的話。最後我還是向他說謝謝。他走遠了，還不解地回頭看我。

隔了一陣子，從裡面騎車子出來的小姐，穿著還算入時。當我攔著她，她雖沒下車，卻把速度騎得最慢，慢到要有一種技術的程度。但是，她一聽清楚我在問她跟前的花叫什麼名字的時候，她的身軀往前一傾，同時腳用力一蹬，車子及時就衝出幾步遠了。我還不解她的意思，她側頭露出不愉快的臉看我，並且拋了一句話，好像說：「無聊，ＸＸＸ！」無聊兩個字倒是聽得很清楚，什麼什麼人就模糊了。我想不出我有什麼地方對她失禮，也想不出她為什麼要生氣罵人。看看四周，天將暗了，放眼看去也沒看到有人走過來。就在這個時候，我終於找到小姐為什麼罵我的答案了。因為她把我想成一個心理變態的人，她受到這樣的人的性騷擾吧。相當可能。我當然知道我為什麼要問野花的名字。對方再怎麼聰明，只能猜到的答案是無聊罷了。

問不到這花的名字心裡有所不甘。再說，在我的想像中，這麼美麗的花，它一定有一個相稱的名字。這種好奇的心理，我想再問不到人，也要等太陽下山我才離開。

我終於又看到人影，從外頭那一邊走近來了。是一位祖母提著一只裝得飽滿的塑膠袋，後頭還跟著很不情願走的六、七歲小男孩。我只聽見她說著小孩：

「……以後我不會再帶你出來了。這麼大了，你沒揹我就悽慘，還要我揹你。」說著來到我的跟前，看到我在看他們。她又說：「人家在笑了。還不快走，快，先跑回去，說我們回來了。」

「阿婆，是你的孫子？」

「是啊。是我第三的。一頭像牛咧，牛孫啦。」她停下來，一方等小孩，一方跟我說話。「你來找人？」

「不是，阿婆請問……」

「不早了，到我們家坐吧，就在堤防下面。」她沒注意我的話。她回過頭催小孩說：「你不走留在這裡叫水鬼來捉你。」

小孩看堤防內滾滾翻騰的洪水，靠著堤防的外沿趕過祖母向前走了。

「說到這頭牛，什麼都不怕，就怕鬼。」阿婆笑著說。

「阿婆，借問這叫什麼花？」我擋著她指地上問。

「噢！這個啊，這叫垃圾花啊。」

她大概沒看清楚。我蹲下來手摸著花問：

「不是。是這個花。」

「是啊，是垃圾花。」很肯定地回答。

我還是不敢相信。

「那以前叫什麼？」

「我還是小女孩的時候，它就叫垃圾花了。我不知道以前它叫什麼。」

「這花有什麼作用？」我想這麼美麗的花，一定有它的什麼價值。我問。

「作什麼用？沒有啊。它本身的藤仔有刺，長在園裡園外，見了它就叫人拔掉。」

我因為感到有點意外而愣了一下。

小孩子已經走到三、四十公尺遠的前頭，反過來催他的祖母快點走。

「我的孫子在叫了。來，到我家吃飯吧。就在那裡。」說著她就走了。

「阿婆——你以前就住在這裡？」

「是啊。我一直就是東港嘴的人。來啦，來厝呷飯啦——」她很有誠意地停下來回話。

「多謝多謝。」

落日碰到山頭了，他們祖孫二人的小影子也正好踏在大海的水平線。那景致令我感動得東西兩邊回頭看了幾遍。太陽不見了，人也不見了。

我是等到花的名字了。它的名字叫垃圾花。這種極其意外的答案，和我一廂情願的想法，要我一時從這一個極端，走到另一個極端的現實時，使我站在闇昏的野地裡，多抽了幾根香菸而墜入沉思。

不用追溯到阿婆的小女孩的時代，就拿前些時的臺灣農業社會，那時還沒有所謂「流行」、「休閒活動」、「精緻文化」這類的名詞。社會基層的大眾，仍然把勞動叫做「骨力」，出外工作說成「出外討吃」或是「賺吃」，努力叫做「打拚」等等。不難從這些生活語言中，意會到當時的生活形態，要求個溫飽確實不容易。所以每一個家庭，只要有勞力成熟，就投入農業的勞動生產。在全面的生產線上，誰的工作能力強，擔子挑得最重，稻子割得最快的就是強者。誰的工作能力低，誰就是弱者。有誰遊手好閒，不事生產，還要占人便宜的人，就叫做「垃圾人」。那一朵美麗的花，之所以叫做「垃圾花」，也是同樣的道理吧。

得到這個結論之後，太陽下山前，那一位穿著還算入時的小姐，回頭罵我的話，我沒聽清楚的那兩個字，突然聽見了。那把它填起來，不就是罵我說：「無聊！垃圾人！」難道我對那一朵花的好奇和喜愛，說穿了就是物以類聚？

我的心凝在那裡，把剩下來的幾根菸抽完，最後的一截菸屁股用力地彈出去，一道紅光的弧線，一下子就消失在看不見的溪流裡。「等待一朵花的名字」可真的不是浪漫的吧。

——原載自：《聯合報．聯合副刊》，一九八七年九月廿二日。

黃春明

一九三五年出生於宜蘭羅東，筆名春鈴、黃春鳴、春二蟲、黃回等。屏東師專畢業，曾任小學教師、記者、廣告企劃、導演等職。近年除仍專事寫作，更致力於歌仔戲及兒童劇的編導。曾獲吳三連文學獎、國家文藝獎、時報文學獎、東元獎及噶瑪蘭獎等。被譽為臺灣國寶級鄉土作家，作品關懷的對象包括鄉土小人物、城市邊緣人，九〇年代則特別關注老人族群。除了小說的創作之外，更跨足散文、新詩、劇本及兒童文學（繪本、童詩、小說）等不同文類的寫作。

著有小說《看海的日子》、《兒子的大玩偶》、《莎喲娜啦．再見》、《放生》、《沒有時刻的月臺》等；散文《等待一朵花的名字》、《九彎十八拐》、《大便老師》；童話繪本《小駝背》、《我是貓也》、《短鼻象》、《愛吃糖的皇帝》、《小麻雀．稻草人》等書。

等待一朵花的名字，最後等到什麼？

黃春明先生是臺灣重要的小說作家，他的作品深具人文視野，蘊藏著對土地深刻的情感與關懷，藉著描寫小人物樸實的生活，反應時代遞嬗下臺灣社會的蛻變與價值的衝突，並且呈現人性的溫暖與生命的尊嚴。這篇散文也隱藏著相同的主題。作者在蘭陽濁水溪出海口的堤防上，發現一株他叫不出名字的小花，他決定要問到花的名字。故事在這之後出現了四組人物，事實上他們都隱含了作者長期關注的議題。

第一組是幾位騎著自行車的中學生，作者問了他們花的名字，卻沒半個人知道。確定這群學生都是在地人，作者又問了其他雜草的名字，他們還是答不出來，他在文章寫道：「我目送他們揹著鼓鼓的書包遠去的背影，心裡有一份黃昏時分的惆悵。」那份惆悵並不是問不到花朵的名字，而是鼓鼓書包內的學習與最貼近的生活，竟有如此的遙遠距離。

第二組路人「是一位公務員模樣的青年人路過。他也是本地人，也不認識這花的名字。」「他不想我跟他多搭訕，他一邊走一邊回我的話。」「他走遠了，還不解地回頭看我。」短短的互動描述，留下了年輕人（可能是公務人員）對周遭環境冷漠不關心的形象。

第三組是一位騎車子出來的小姐，但是，她一聽清楚作者的問題，腳一蹬車子衝出幾步遠，拋了一句話，好像說：「無聊，XXX！」作者無奈的說，或許小姐誤認為他是個變態的人想騷擾她。文字間留給讀者的是，原來人不只對環境冷漠，人與人之間更可能充斥著疏離和不信任。

經歷這幾次詢問，黃春明先生帶著些許不甘和好奇心繼續等下去。終於等到最後一組是一位帶著孫子的阿嬤，作者還沒開始問問題，阿嬤就熱情的招呼作者到家裡坐，和之前幾位年輕路人大大不同。當作者詢問花的名字，得到的答案令人錯愕，阿嬤說：「噢！這個啊，這叫垃圾花啊……我還是小女孩的時候，它就叫垃圾花了。」

作者追問：「這花有什麼作用？」阿嬷答：「作什麼用？沒有啊。它本身的藤仔有刺，長在園裡園外，見了它就叫人拔掉。」詢問花名的過程在阿嬷熱情邀約聲中結束，也留下問題給讀者。

作者最後等到什麼？是花的名字，是社會化下將一切視為理所當然的自己？還是與過去那個崇尚勞動、務實、勤奮、打拚、熱情、純樸卻即將消失的時代再次見面？答案或許就在落日下，阿嬷和孫子踏在大海的水平線上消失的身影裡。

我不懂得故鄉，所以就不懂得
在那種沒有人關懷的年代，
幾個少年憑著純真和不忍之心所做的一點小事，
對那些掙扎在生活邊緣的人，有著多麼深厚的意義了。

——尉天驄——

眾神

眾神。

燈下翻看相簿中變黃了的故鄉的風景，竟然浮現了伯父的影子。

伯父二十八歲就過世了，那時候我還不曾出生，但是他卻一直以老人的溫煦生活在我的記憶裡，因為差不多從我能夠在四鄉走動的年歲，伯父的名字就跟著我的腳步結合在一起了。

「XXX是你什麼人？」

每當別人看到我這稀有的姓氏，就馬上會問起伯父的名字。然後，隨著我的回答，我便會從那些陌生人那裡得到一番親切的關心。

母親說，在我伯父念中學的那段日子，村子裡的生活過得特別艱苦。那時候，很少日子沒見過過兵，也很少夜晚聽到狗叫不心慌的。老村長隔不了幾天就被吊在榆樹上，只因為他收不齊那些軍隊要的糧草。尤其到了青黃不接的日子，村子裡的人沒有足夠的東西吃，也找不到可以幹的活，有時把來春下田的種籽吃光了，每天就三三五五地張著無神的大眼，坐在牆腳邊曬太陽。我的伯父跟他的同學本來想到廣州去，因為路太遠了，一直沒去成。放假的時候，他們由城裡回到鄉下，面對那些村人，就慫恿大家聯合起來辦一座小工廠。雖然那座工廠簡陋到不能再簡陋了，但大家總有了一個可以出力的地方。有的織麻繩，有的榨花生，另一些腳力健的，就擔當往城裡運輸的工作。有了工作，稀粥有得喝了，窩窩頭有得吃了，漸漸地也不必每年愁下田的種籽了。

我出生的時候，伯父已經去世，那座工廠不久也毀於兵火，但是他和他的朋友的名字，卻一直在鄉間流傳著。

以往，我想不透幾個二十多歲的小夥子所做的一點小事有何紀念價值，因為那時我實在並不真的了解自己的故鄉，更不要說什麼青黃不接的日子了。

現在想想，我的故鄉實在是一個很落後的地方。那裡所有的，除了照片上所看到的那一排灰暗的枯樹，在我的記憶裡似乎就只是成年的風沙和不斷的兵荒了。以往在學校寫作文的時候，一提起故鄉，總把它寫成世界上最溫暖的地方。但是，隨著年歲的長大，才漸漸體會到那些溫暖的事物後面，實際上都埋藏著無數的悽楚。

當我回想起一家人共用一盆水洗臉，到晚上再用這剩下的水洗腳的情況，故鄉的一切便給我一種與前不同的感覺。以往看《紅樓夢》，每次想到曹家督視鹽運時，便止不住浮現故鄉的景象。在那裡，一走進村莊，就可以看到一些陶土的水缸，缸上放著一個籮筐，筐底下鋪著一層厚厚的枯草，而一層層的黃土便在草上堆成一個水窪。人們就把水注到窪裡；於是一滴一滴的黃泥水就透過籮筐滴到缸裡去。後來到城裡念書，每次唸到「更漏殘」一類的句子，我就會想起那些黃泥水滴到缸裡的聲音。這幅景象，住在大觀園裡的人可能是永遠也不會懂得的。因為在他們的日子裡，根本用不著從帶有澀味的黃土中去濾製苦澀的「小鹽」。小的時候，每次經過那些水缸，總會頑皮地把水窪的水注滿，有時候也會用舌頭去舔那種鹹味，但是從來沒有深思過那種日子到底是什麼樣子，就好像以那種叫做「榆錢」的榆花當飯的日子所留給我的印象，只不過是爬上大榆樹的興奮而已。

我不懂得故鄉，所以就不懂得在那種沒有人關懷的年代，幾個少年憑著純真和不忍之心所做的一點小事，對那些掙扎在生活邊緣的人，有著多麼深厚的意義了。

從這些地方，我想起了中國鄉間所信奉的一些神。我有位朋友是研究社會學的。據他調查，僅僅在臺北的萬華一帶，人們所信奉的神就有十幾種之多。這些神嚴格來說都不是屬於宗教的，他們只是某某年代的人，因為在某些地方做了某些事，那裡的人由於感激便一代一代紀念下去，久而久之，便成了那個地方的守護神。如果我們想到，連京戲《法門寺》中的劉瑾，人們都不曾忘記他做的唯一善事，也許就不會奇怪民間的神那麼多了。由此看來，那位香火最盛的媽祖，可能並不是一位呼風喚雨、屢現神蹟的傳奇人物，像電影電視所描寫的那樣；她應該是一位抱著純真和不忍之心，在挨餓的和患著烏腳病的漁民鹽民中奔波服務的少女吧！因為只有把人的意義擴大出來的，才是人們永遠紀念不已的神。這也許就是中國人土生土長的宗教觀念吧！

就憑著這種宗教意識，在那些貧瘠的鄉村裡，很多人雖然沒有念過多少書，卻在那塊土地上植下了他們的信仰，一代一代地在掙扎中生活下去，用血汗和眼淚培育出他們的果實。但也有很多人不是這樣，由於他們將生活游離於自己所生長的土地之上，所以便漸漸地失去了這種信仰。因此，他們便常常抱怨自己生不逢時，責怪這個世界沒有什麼可以讓自己去做的事，於是不自覺地便流露出「不才明主棄，多病故人疏」一類的感傷。在這種感傷中，他們雖然夢想著自己的生命會有開花的一天，卻不知如何播下自己的種籽；即使從很小的時候，便有計劃地留下自己的照片，保存用過的物品，以便長大成名後，好送到博物館去，結果也不一定能達到目標。想到這些，我好像漸漸懂得我的伯父和他那些好朋友的故事了。

——原載自：《棗與石榴》，印刻文化出版，二〇〇六。

作者介紹

尉天驄

民國二十四年生於江蘇碭山。政大中文系畢，曾任政大中文系教授、《筆匯》月刊、《文學季刊》、《文季》季刊、《中國論壇》主編。著作包括小說集《到梵林敦去的人》；評論集《文學札記》、《民族與鄉土》、《理想的追尋》、《鄉土文學討論集》（編著）；散文集《天窗集》、《眾神》、《棗與石榴》、《歲月》等。

天上的眾神，是人性光明與良善的化身

「眾神」是以尉天驄教授個人回憶為題材的散文，從一張老照片，開啟遙遠的記憶，以他的姓氏帶出村民口中讓人感懷的伯父。小孩子因為不了解故鄉真實的苦難，等到真正了解後才想通了伯父受人感念的原因，而一代一代傳遞下的感謝，擴大了的個人生命影響力成了地方守護神的緣起。故事敘述很樸實，但是這以人生作為時空的尺度、素樸真實的表達，對我而言有著極為深刻的動人力量。

尉教授認為寫作應該忌誇張、少形容，因此這篇散文平實地敘述身邊的故事，由人與人、人與物、人與事交織成的真實生活，讀來格外動人。有一次我親自聆聽尉天驄教授談起他家鄉因戰亂而窮，能吃的東西連樹皮、草根、樹葉、木頭、都吃光了，餓啊！最後怎麼辦？有人就找來一種叫「觀音土」來吃。

「這怎麼可能！土可以吃？」我不敢相信地說。尉教授說：「可以，和著水煮後像粥一樣，但是吃多了會死。」我立刻就問：「為什麼會死還是要吃？」尉教授的回答我永遠都記得，他說：「國珍啊！你們從來沒真正餓過。」他當時話中的字句直白如水，但是一陣恐懼迎面而來，因為那就是真實。

關於「眾神」，故事中寫道，因感念把個人的意義擴大而成為神的心理，解釋了中國人的宗教觀，但本質上是歌頌，尤其是對在苦難的困境中，人性所顯現良善與光明的力量。當這承載感念被神格化的人成為信仰，間接說明一代一代人傳承的信仰其實是人性的光明，神與人的差異不是出身而是行為，天上的眾神即是民間人性光明與良善的化身。

又或者，是父親在那個時刻，
已經回到他最意氣風發的年輕輝煌歲月裡，
在那個歲月裡，
哪裡會有什麼病苦、憂悒、哀傷之情？

一首莊嚴的安魂曲

—向鴻全—

一首莊嚴的安魂曲。

我為什麼沒有經驗過一般人都會讀過的、從死裡還陽的人體驗譚：在黑暗中看見遠遠的、彷彿隧道彼端的光亮的去處；看到被哭泣的親友圍繞的自己的屍體……為什麼我的生死的界線只是暗室中深沉的酣睡？

——陳映真，〈生死〉

父親往生後的這一段時間，我一直無法從與他沉默的訣別中走出來，我近乎無能地讓自己處在一種漂流失重的狀態，生活唯一的支持，大概就是閱讀療治喪父之痛的書。

每天晚上，我不斷翻撫朱天心的《漫遊者》、張大春的《聆聽父親》、駱以軍的《遠方》，和我的小說家朋友吳明益的《蝶道》，他們用書寫重新建構起父親在他們心中的永恆形象，以及試圖用書寫抵抗悲傷的姿態，在許多重要時刻安慰了我的心靈——縱然我揣想任何人在面臨生死離別時的情緒應該都是一樣悲傷，但是我發現透過書寫，這些巨大的悲傷可以轉化為更強大的驅力，讓我們有能力面對死亡，以及種種面對死亡時的複雜情緒。

在這種尋找父親書寫的自我治療過程裡，我讀到陳映真先生在〈生死〉一文中描寫他經歷重大手術的過程，寬厚的小說家似乎感受到關於生病這件事，除了病人真的真實感受外，病人家屬所經受的壓力可能也不小於病人自己，所以整篇作品讀來並沒有令人畏懼病痛與死亡之感，反而處處流露出對照顧家屬的細心體貼，即使描寫到自己的病痛，竟也是那麼令人安心地說「沒有痛苦，但覺如在暗室中最深沉甚至舒適的酣睡」。小說家的筆，溫熱而充滿感情，拯救了在夜裡不斷回想父親最後歲月面容的我。

父親自從因跌倒住院後，除了前幾天神智不清地叫錯我和弟弟名字之外，就沒再清楚地與我們說過話了。記得有一天，父親剛經過一場手術，我推著輪椅帶父親到病房外的走廊晃晃，雖然父親的頭上密密包纏著紗布，但是生來菩薩和藹面容的他看上去總是笑呵呵的模樣，參與手術的一位醫生在巡房時看見坐在輪椅上的父親，對著他說：「好多了吧，很快就可以出院了哦！」我開心的微笑，父親則頻頻頷首；後來我們進入裡頭有電視、報紙和雜誌的休閒視聽室，我隨即拿了一份報紙給父親看。

在父親還沒跌倒入院前，占去他很大部分的休閒活動大概就是閱報了，我甚至以為，對父親他們這一代的人來說，晨起運動後，以早餐酌以報紙是一種如儀式般的行為，一定得經過這個行為，一天於是才真正展開。後來才知道，雖然我時常晏起，但是在恍惚中，聽見父親關上門出去活動筋骨、開門回家後一陣梳洗接著伴隨著報紙翻看的窸窣之聲，竟然成為讓我繼續貪眠的安心之聲。

可是父親此時卻拿不穩報紙夾，他甚至沒有察覺放反的報紙，我想知道父親痊癒的進度，於是我沒有立刻把報紙放正，父親歪斜著頭似乎感到某些不對勁，但仍認真地讀；這個房間裡的電視被固定在某個新聞頻道，一樁樁荒謬詭異的新聞事件透過誇張的主播表情和聲音被放送出來，可是我覺得父親和我好像被孤立圈放在一個安靜的空間裡，我只聽得見父親的呼吸聲，和略顯膨脹的手指，以高於一般人的抖動頻率抓著報紙的上緣，並發出窸窣之聲。

此時這個聲音卻已不再安慰我，反而帶給我強烈的不安。

我刻意放大聲調，想讀報紙的標題給父親聽，我甚至故意選讀那立場與保守父親最為相左的政治事件，希望引起父親的注意——過去無論我和父親經歷過多少父子間有意或無心的冷戰，到最後我都會用這招來表達願意和解或投降的的輸誠之意，那就是用父親最痛恨的政治新聞來喚起他的注意，如果我能和他同仇敵愾地「剿匪」一下的話，效果會更好；我想，父親和他們那一代的人，絕不會是政治的動物，但卻是被政治所豢養所制約的動物，那絕對是種深沉的悲哀。然而父親並沒有回應我刻意的挑釁，他只是低著頭看著他最熟悉的報紙，我知道父親一定記起了什麼，只是他說不出來，那究竟會是什麼呢？我端詳著父親的臉，輕撫著紗布和紗布下那個傷口，父親，那到底是什麼呢？

突然間，一個人晃過門外，父親抬起頭瞥見了那個身影，父親說：「陳連長，」我說爸爸你說什麼？「是陳連長，那個是陳連長。」父親又說了一次。陳連長是父親在憲兵隊時的老長官，退役了之後在家裡開了個雜貨店，本來生意還過得去，一直到附近開了數間便利商店後，生意就漸漸蕭條清淡，到最後陳連長甚至跟父親說，店開著只是不想讓自己閒著沒事幹，就算只是早晚開門關門點點貨，也覺得生活充實充實。每天經過陳連長的雜貨店，那隔壁對街的新型便利商店所映射出來的明亮光線，總讓那片小鋪顯得更灰暗陰翳。

我知道那個不是陳連長，但那個背影卻讓父親憶起了某些事，或許那些事是深埋在父親心底的事。我記得陳連長來家裡時，曾盛讚父親是他所見過心腸最好的人，也是他最信賴的部屬（那個時候我竟然想起張愛玲不是也稱讚過小說家朱西甯是沈從文筆下最好的小兵嗎？），父親也曾不只一次告訴我，陳連長是個最嚴格的長官，在他的帶領下生活是辛苦的，但同時父親也受到陳連長許多照顧，不知道何時才能回報他。

父親因為離家多年，他總是覺得虧欠我們兄弟倆，所以對於我們的諸多不當言行，通常也不會嚴詞責難，而多半是沉默不語，所以我沒有關於父親打罵我們的記憶，但是永遠記得他曾對我說過：「我這輩子雖然沒有什麼值得光榮驕傲的事，但是絕對沒有做過對不起別人的事。」當時我並未能深察其中之意，後來因撰寫論文的關係，而讀到朱熹在經歷諸多論戰和宦海浮沈終至病篤之際，仍然不懈於著述，朱熹晚年不斷修改《大學》「誠意」一章，我一直覺得朱熹之所以對《大學》中的「誠意」之說用盡其力，原因就在於學術與政治實有其複雜而人所無可奈何之處，但只有在道德世界裡，自我的精神生命才是真實而永恆的。「豈能盡如人意？但求無愧我心。」這句話裡頭所蘊藏的，絕不只是心灰意冷的慨嘆，而是勇敢堅強的宣示。我不知道父親是否覺得自己愧歉陳連長一份人情，又或者，是父親在那個時刻，已經回到他最意氣風發的年輕輝煌歲月裡，在那個歲月裡，哪裡會有什麼病苦、憂悒、哀傷之情？

一直到往生前，父親都是處在近乎最低的昏迷指數，我和弟弟除了每天和他說說話外，就是讀佛經給他聽，希望藉由佛菩薩的願力幫助父親脫離病苦；我清楚地記得，每當我讀《佛說阿彌陀經》至「舍利弗，若友善男子善女人，聞說阿彌陀佛，執持名號，若一日，若二日，若三日，若四日，若五日，若六日，若七日，一心不亂，其人臨命終時，阿彌陀佛與諸聖眾，現在其前，是人終時，心不顛倒，即得往生阿彌陀佛極樂國土」時，父親似乎想要發出聲音，試著要掙扎著坐直起來，彼時我學佛尚淺，但也希望父親是聽聞佛法後想起身頂禮膜拜，我知道雖然在床邊的病歷寫著父親現在的狀態是深度昏迷，但是父親的意識應該清楚地出現在所有醫學名詞所無法達到的地方。

父親在往生後，負責運送父親身體的先生在準備移動前，先看了床頭父親的名字，然後說：「向伯伯，病好了要出院囉！」那位先生以溫暖和悅的聲音以及堅定迅速的動作，完成父親的身後事。我強忍著淚水在心裡不斷感謝這位先生，素昧平生卻用最簡單有力的方式安慰了站在父親身旁的我和弟弟。

在尚未讀到陳映真先生的〈生死〉前，我不停地擔心父親究竟經歷了多少我們不能了解的苦，那聽聞佛經後流下的清淚，是因為身體受到磨難後的痛苦之淚、還是懺悔並看透生命實相後的靈魂之淚？我真的不知道。陳映真先生用文字吹奏出一首莊嚴的安魂曲，除了撫慰了病床上的生命外，更安撫了所有病床邊的心靈；小說家用文字掙脫生命的困頓束縛，如同《聖經．約伯記》裡所說：「唯有我一人逃脫，來給你報信。」

但願所有我們因未知而心生擔憂恐懼的黑暗，都會是最深沉的酣睡。

——原載於：《借來的時光》，聯合文學出版，二〇〇六。

作者介紹

向鴻全

一九七一年生，臺灣桃園人，中央大學中文所博士，現任教於中原大學，編有《臺灣科幻小說選》。曾獲梁實秋文學獎、臺北文學獎、宗教文學獎，並於二〇〇五年以〈歸藏〉一文獲得二十七居聯合報文學獎。

生命一開始就註定走向終點，死亡是每個人都要面對的終極問題。向鴻全老師在〈一首莊嚴的安魂曲〉這篇文章中，以他對父親過世的失落開始，每天晚上在不同作家的作品中，閱讀療癒喪父之痛的書，他寫道：「他們用書寫重新建構起父親在他們心中的永恆形象、以及試圖用書寫抵抗悲傷的姿態，在許多重要時刻安慰了我的心靈」。雖然作者沒有特別指出這寫篇文章的動機，但可以理解他在尋找父親書寫的自我治療過程中，以自己的書寫緩緩放開與父親情感的連結，在文字中傾訴未能完結的告別。作品中回憶他與父親生前在醫院共同度過的最後時光，深情又傷感，記下的不只是病情難以挽回的發展，也以交錯的回憶片段說明父親為人與外省籍老兵在社會、政治氛圍中孤軍奮戰的頑強，甚至成為兩人化解紛爭輸誠的共同默契。

海濱的浪濤聲至今仍在我耳際迴盪不已，
彷彿對我訴說著：耐心、信心、坦率，
以及簡樸、孤獨、無常，
這些正是大海給予我們的啟示。

——林白夫人（Anne Morrow Lindbergh）——

別了，海濱

別了，海濱——帶回大海的智慧。

我拾起沙灘上的行囊，任沙子在我腳下輕輕滑落，這段在海濱的靜思時光就要結束了。這段時間裡，我試著探索生活的簡化、內在心靈的完整，以及人際關係的圓滿。不過，從某種意義來說，我所獲得的畢竟只是一個相當有限的概念罷了。今天人類社會出現了全球性的宏觀思想，身外的世界不斷在擴展當中，即使遙遠的地方發生衝突或是遭遇苦難，也會在地球上的每個人身上造成迴響。

然而，這種全球性的宏觀究竟能被我們推展到什麼樣的極限呢？今天的世界要求我們去負擔所有的人道義務。這種全球的交互關係超出了我們心靈所能負擔的分量，或者應該說——因為我相信人類的心靈是無遠弗屆的——現代爆炸性的資訊給我們太多解決不完的問題。對我們的心靈、智識與想像力來說，這種不斷向外擴展的力量是相當有益的；但是我們的身體、精力、耐力及壽命卻不是這樣的具有彈性。就好像我對於世界上其他所有人的需求雖然極欲幫助，但是卻心有餘而力不足。我無法嫁給我喜歡的人，也無法照顧世上所有的小孩與老人。在我母親或是祖母那一代，她們的生活圈子不像今天那麼大，因此有足夠的力量可以將她們心靈的悸動完全付諸行動。而我們這一輩在那樣的環境下長大，卻不再能像她們一樣實現傳統。這就是因為我們的生活範圍在時間與空間的兩個層面上都大大地擴展了。

在這種兩難的困境中，我們究竟要怎麼做呢？該如何在全球性的宏觀與我們的良知之間取得平衡呢？

我想這當中自然需要折衷與妥協。我們每個人作為一個單一的個體，根本無法應付太多的其他個體，因此才索性將其他的個體都簡化成抽象的名詞「大眾」。我們因為應付不了現存的種種複雜問題，所以常常跳過了現在，活在過度簡化的未來之夢中；我們因為解決不了自己本身居住地方的問題，所以便大談闊論世界其他地方的種種問題。追根究柢地說，這都是因為我們在自己肩上加添了無法承受的重擔，因此剩下的只有逃避一途了。

但是實際上，對於「大眾」這個抽象的名詞，我們真的能夠發自內心的對它感到同情嗎？在我們跳躍了現在之後，真的能以未來取而代之嗎？又有誰能保證未來一定比現在更好呢？當一個人連自己的問題都無法解決時，他又如何能解決世界的問題呢？而在逃避的過程中，我們真正前進了多少？在捨本逐末的追逐中，我們又成就了什麼呢？

其實仔細想想，現代生活中的許多災難不正是因為我們捨近求遠的結果嗎？我們捨棄現在，去追求遙遠的未來；忽略自己的所在地，望向其他的地方；著眼於遼闊的大眾，卻看不到基本的個體。

以美國來說，它目前仍然集世界的光彩於一身，卻不曾停下腳步好好享受當下，只是一味地帶著填不滿的胃口追求著未來。也許歷史學家、社會學家及哲學家都會說，這是因為美國仍然受到拓荒時期的精神，或是清教徒的思想所驅使的緣故，但是如果我們反過來看歐洲，那個一向被我們視為醉心於過去的國度，在經歷了二次大戰之後，反而開始著眼於現在了。對於歐洲來說，輝煌的過去太遙遠，近距離的過去是血腥的戰爭，而未來又是如此的危險，因此現在反而是將此時此刻化做永恆的黃金時段。在歐洲，你可以看見人們在路邊的咖啡店慢慢啜飲一杯香醇的黑咖啡，在星期天的午後散步於郊外的田野間，這些都代表了他們正盡情享受著現在的時光。

我們常常不知道要把握現在的每分每秒，一直到遭遇挑戰時才會醒悟。這就像美國目前面臨的情況一樣。也許是因為工業主義的影響，也許是因為戰爭、或是一切標準化的因素，使得個體受到整體所威脅，不過就在這個時候，我們不也開始察覺到個人尊嚴的重要性嗎？因此，現在正是人們重新將眼睛從未來拉回到此時此地、從整體拉回到個體的時候了。

事實上，從古到今，「此時」、「此地」及「個人」都是聖人、藝術家、文人、甚至女人所關心的重點。為什麼說女人呢？女人過去一直被侷限於狹小的家庭生活中，她們從來不會忽略家庭中每個成員的獨特性，或是忽略身處的此時此地。因為這些都是生命的基本要素，它們組成了大眾、組成了未來，並且構成了整個世界。它們是形成一整條溪流的水滴，是生命的精髓。我們可以忽略它們，但是卻不能沒有它們。我們重新著眼於這些被忽略的本質，這麼做並不是逃避責任，而是了解及解決問題的第一步。

當我們回到生命的中心之後，才能找到向外擴展的基礎，也才能在「此刻」找到快樂、在「此地」找到平靜，並且在自身與他人身上找到愛，在人間建造天堂。

海濱的浪濤聲至今仍在我耳際迴盪不已，彷彿對我訴說著：耐心、信心、坦率，以及簡樸、孤獨、無常，這些正是大海給予我們的啟示。不過，等著我們去發掘的海灘還有很多，上面的貝殼也不只我所拾起的這些，因此我在這幾天海濱生活中所獲得的一切，只是一個開始，而不是結束。

——摘自：《來自大海的禮物》，遠流出版，二〇一二。

作者介紹

林白夫人（Anne Morrow Lindbergh）

一九〇六年生，一九二九年與查爾斯・林白結婚，伴隨夫婿環繞北大西洋飛行探險，首度開發出橫越海洋的飛行航線。她同時是美國著名小說家、散文家及詩人，著有《The Unicorn And Other Poems》、《North To The Orient》、《Listen! The Wind》。

該如何在全球性的宏觀與我們的良知之間取得平衡呢？

《來自大海的禮物》這本書發行至今已經六十年，但是書中林白夫人所省思的世界與問題依然存在，而且更為複雜。

數位時代與全球化的觀念創造一個全球宏觀的場域，連結起每一個人，既使是世界的邊緣有衝突，也會影響到所有人。林白夫人當年就提出一個問題：「我們的生活範圍在時間與空間的兩個層面上都大大地擴展了。在這種兩難的困境中，我們究竟要怎麼做呢？該如何在全球性的宏觀與我們的良知之間取得平衡呢？」。面對這問題，林白夫人睿智的觀察提醒人們，因為我們受限於個人能力有限，應付不了當前的問題，因此我們隱身於「大眾」，以大談闊論世界其他地方及未來的問題，逃避面對本身所在地方的問題。對於這現象林白夫人有一番嚴厲的批判，她說：「現代生活中的許多災難不正是因為我們捨近求遠的結果嗎？我們捨棄現在，去追求遙遠的未來；忽略自己的所在地，望向其他的地方；著眼於遼闊的大眾，卻看不到基本的個體。」她認為面對這個當下與個人價值被全球化與不確定的未來取代的時代，應該重新重視「此時」、「此地」及「個人」的真實價值與尊嚴，回歸到個人。對林白夫人而言，她是以女性的身分，回到最貼身的「此地」——家庭，照顧好每個生命，回歸到生命的中心後，無論男女，方能在此刻找到平靜、自我、愛和圓滿，並在人間建造天堂。

擴張與發展一直是以經貿發展為核心的現代文明重要的動力，但是當前全球的氣候環境與國家區域間的衝突，讓我們有必要再次思考林白夫人所提出的問題：「該如何在全球性的宏觀與我們的良知之間取得平衡呢？」答案往往就在問題裡，從林白夫人的觀點來看，擴張與發展之所以有問題，因為它在過程中失去核心價值，擴張發展的歷程需要一個核心作為基準，或許林白夫人早已將答案隱藏在問題裡：「將全球的宏觀建立在我們的良知上」，那麼人間也有機會得以建造天堂。

愛生哲學是一種反貪的哲學；
因為當人真正懂得愛惜生命、愛惜生活、愛惜自然之時，
他的貪將會像蝌蚪的尾巴，
逐漸消失於無形。

愛生哲學

—孟祥森—

愛生哲學。

「愛生」兩個字在我心中迴繞已經十年，之所以一直沒有正式提出來，有幾個原因：一、或許是我的觀念一直尚未完全成熟；二、或許是我一直為生活和翻譯奔波，未能把心思凝聚下來；三、最主要的則是我原先構想「愛生哲學」的時候，不是用「哲學」，而是用「運動」，而「運動」兩字容易遭人誤會。

但我之所以用「運動」而不是用「哲學」，實在是因為我深切的感覺到我們臺灣甚至我們全世界非得讓大家起來像救火那樣才救得了了；我們的世界、我們的心、我們的生活環境，我們的自然界、我們的教育以至於我們的親情關係，以至於我們自己跟自己的關係都面臨了嚴重破壞的關頭，而這破壞是可怕的、是惡性的，在裡面你甚至難於看出「為建設而破壞」的跡象，似乎那破壞只是破壞，破壞完了就完了，我們完了，我們的子孫完了，我們的地球也跟著完了。

要挽救這一個可怕的頹勢，似乎只有「運動」才能奏效——全民的、全人類的運動，每個人都像是自家房子失火那樣起來灌救的運動——灌救我們的心、灌救我們的環境、灌救我們人與人之間的關係。而灌救的水是什麼呢？就是「愛生」——對生命、對自然、對天地、對人情心的珍惜、愛護、體會、領受，並由這個基點去發揚、去成長精神文化與藝術。

十年來，我陸陸續續寫了一些札記，但也始終留在札記的狀態，並未整理出系統；容我痛心地說一句，有時我是絕望的，眼看著人心那麼的貪婪，工商業界那麼的大量繁殖與製造，林業的那般大量砍伐，空氣的那般大量汙染，噪音的那般大量喧囂，人口的那般向城市集中，我常常痛切的感到沒救、沒救，我提出什麼來都沒有用。

但當近年來不斷的有有心人為動物、為植物、為環境甚至為教育提出呼籲與奔走的時候，我似在巨大的黑暗中看到一點光明。我不能確定那光明是否終能戰勝那黑暗，但黑暗中只要有光明，哪怕只有一點點，也是叫人感到溫暖感到寬慰感到感恩的。在此時此地的這個世界上，如果有什麼是最可以讓我肯定的，我要說，就是這樣的光，就是這點光。

當這光源之一，《大自然》雜誌的總編輯韓韓要我為《大自然》第四期寫點東西時，我立刻答應了，而且也立刻就寫出來，因為那是我存在已久而不知要到何方發表的東西，能在《大自然》發表，是再合適不過的了——雖然，我那篇文章放在《大自然》第四期——主題是「大自然就在你身邊」——有點文不對題。

在《大自然》雜誌中，我把題目訂為「愛生哲學芻議」，除了避免引人誤會起見，我還希望能為環境保育找到一個哲學基礎，因為像「環境保育」

這樣一個大的、全球性的運動，恐怕免不了有人會想在哲學上有個基礎（儘管這種「運動」的必要性根本是不證自明的），而用「芻議」，則是表示我只是把最梗概的話說出來，以後我要陸陸續續再說，為它增添血肉；同時，我更希望它不是「我」提出來的哲學，而是大家提出來的，是大家隨時提、隨時想，隨時為它增添血肉的，因為愛生哲學絕不是一個人的哲學，它是每個人的，是每個個人的，也是每個大家的。因為此時此地的處境以至全世界當前的處境是大家的，是大家面臨的，而愛生哲學是對應這個處境而生。

當我年輕的時候，我也曾經懷疑過究竟有沒有「絕對的」真理，我也曾經討厭過「道德」兩個字，似乎聽到這兩個字就要洗耳朵。其後多年，在書本上和生活中，我也遇見過懷疑真理和鄙視道德的人；但慢慢我了解到，我們懷疑的是「概念化」了的真理，我們鄙視的是「教條化」了的道德，而不是「真理」和「道德」的本身。明顯的例子之一，是那懷疑真理的人本身最是渴切真理，那鄙視道德的人往往是熱血心腸。其實，如果我們不把真理和道德概念化、學理化、教條化，我們哪一個又不明確的相信某些真理，服膺某些道德呢？其實，真理和道德本是活生生的，跟人的生活血肉相連的，只要你不把它極端化，根本是隨俯即拾的。

一切真理與道德的基礎其實都在一個「生」字。

是由於有「生命」，才有生之欲望，才有生之恐懼，才有喜怒哀樂，才有七情六欲，才有貪瞋痴，也才有成熟與悟道；是由於有生命，才有母子之情，才有愛情，才有友情，才有親情；是由於有生命，才有貪「生」怕「死」；是由於有生命，這生命才知道領受生命的美好，才產生了反觀天人宇宙的心靈，並懂得它的美好、它的偉大、它的驚人；是由有生命，才得以肯定生命，才知道什麼於生命是美好的、有益的，什麼於生命是壞的、有害的；是由於有生命，才有了生命生生不息的發展，使它產生了心靈，而心靈終於能夠產生智慧，而智慧終可如高懸的明鏡，照見人類的過去、現在與未來，照見人類的路途，並負為人類指點路途的責任。

這一切，不是真理、不是道德是什麼？

而「愛生哲學」就是要肯定此一生命、此一心靈，以及此一生命此一心靈的現在未來，肯定此一生命的血肉以及此一血肉烘托出來的心靈，以及此心靈對此情此境的照見，對未來的照見，肯定此身此心生活起居於其間的天地環境。

因此，愛生哲學是珍惜生命、珍惜生活、珍惜環境的哲學，是珍惜人與人的關係，人與自然的關係的哲學，它反對人為了貪利而破壞自然、破壞人心，它反對人因忙碌而疏冷了父母子女之情、男女之情、朋友之情，因為它看到人類（及一切生物類）最根本的幸福不是利，而是情，因為它看到人類的最後光明不是物質的燈，而是心靈的光；因為它肯定生命的基本渴望，而若一個社會不以滿足這種基本渴望為標的，這個社會就不再有真理的依循，而如果一個社會沒有正確的真理依循，不久就會崩潰。

而生命的基本渴望是什麼呢？就是活著的時候好好的活，死的時候好好的死——善其生、善其死。而好好的活、好好的死，意謂著他對自己生命的珍惜，也對別人的生命珍惜，別人反轉來說也是一樣；同時，他必須在某種程度上去發展他的心智，因為他是一個天生具備著心智的動物，如果他的心智不能好好發育，就像他的肉體不能好好發育一樣，是一種殘障，而殘障是難以快樂的。

除了人對人的關係外，愛生哲學特別強調人同自然的關係，因為人是自然的一環，是自然的子女，而不是孤立的或獨立於自然的；更何況，只要我們有心，就可以看到大自然是一切豐沛之源，美的豐沛，雨水的豐沛，生命的豐沛；其實，大自然，就是西方宗教觀念中所說的那個「上帝」，是它創造了天，創造了地，創造了山川河嶽，創造了人及萬物，它既是創造者又是造物者，它就是「真理，道路，生命」；它看著「光」說「是好的」；看著世界、看著萬物，說「是好的」；因此為萬物洒了那麼多顏色。

但愛生哲學並不認為一切都是好的；它看到並承認這個事實吧！承認之後，便是致力於發展那好的，消除那壞的，使那低卑的慢慢像蝌蚪的尾巴，在人類進化中逐漸消失於無形；愛生哲學認為要取消一切低卑的層面[5]，其最根本的方策，就是讓人產生一點生命的驚奇，產生一點生命的驚喜，因為這一點點火花的爆發必將使他抬起頭來，發現自己不只是一個在人羣中爭名奪利的小角色，而是天地間一個奇異的東西，他是一個「奇葩」，一個「心」，感應天地，感應生命，感應自然，感應人心；於是，他自己覺得他是個東西了，是個靈明的什麼東西了，是個可以領會、可以感受、可以給予愛並接受愛的東西了，他會開始覺得他的生命「可愛」了，別人的生命可愛了，大自然的一草一木可愛了，他可以不再那麼「貪」[6]。

而不再那麼「貪」乃是個人和人類和自然和世界得救的第一步，也是最重要的，非它不可的一步。

愛生哲學是一種反貪的哲學；因為當人真正懂得愛惜生命、愛惜生活、愛惜自然之時，他的貪將會像蝌蚪的尾巴，逐漸消失於無形。

我要對年輕的朋友們說：這是一部給你們的哲學；它不是純理論性的、不是純學術性的，它是生活的、它是血肉的；它是你們每個人都應該且可以用自己的生活與血肉去填充的；當然也是我自己應該且可以用我自己的生活與血肉去填充的；唯有這樣的填充，我們自己才有救、我們的生活才有救、我們的環境甚至教育才有救。

而關於這一方面，我將陸續的寫，也要求一切關懷人心與環境的人陸續的寫——用我們的筆寫，用我們的生活與生命寫。

——原載於：《愛生哲學》，孟祥森著，爾雅出版，一九八五。

註5　於今，我認為低卑面和高超面，都是宇宙的一面。（孟祥森先生增訂於二〇〇八年五月十三日）

註6　此法仍舊可用。其實即是禪宗之法，「神通並妙用，運水與搬柴」！（孟祥森先生增訂於二〇〇八年五月十三日）

孟祥森

筆名孟東籬，一九三七年生於中國河北省，一九四八年來臺，就讀鳳山誠正小學，一九五七年考上高雄中學，後進入臺灣大學哲學系、輔仁大學哲學研究所畢業。曾任教於臺灣大學、世界新專、花蓮師專。自一九六七年到二〇〇五年止，孟祥森先後翻譯《齊克果日記》、《沉思錄》、《異鄉人》、《如果麥子不死》等西洋文、史、哲、心理、宗教書籍共計約八十二本，譯作品質與數量為當代少見。早年以漆木朵為筆名，發表《幻日手記》、《耶穌之繭》。一九八三年起，轉向生活札記體寫作。共計出版《萬蟬集》、《濱海茅屋札記》、《野地百合》、《念流》等十七本自然及禪學著作。曾在花蓮鹽寮海邊築茅屋而居，被認為是臺灣實踐環保生活的作家代表。一九九七年，移居臺北陽明山平等里磚屋。二〇〇九年九月，罹患肺腺癌辭世，享年七十二歲。

想要改變世界，請先改變自己

閱讀〈愛生哲學〉這篇文章，以知識的條件來看不難理解，孟祥森先生強調人類和自然親密的關連。呼籲珍惜生命、珍惜環境，反對物欲層面的貪求，這些早已是我們熟悉的觀念，但是這本書特地選這篇文章，其目的不只是要介紹這些觀念，而是想問問各位同學，這些觀念你都知道，但是我們做到了嗎？我們的社會做到了嗎？如果做到了，齊柏林導演的紀錄片《看見臺灣》也無法記錄到那些怵目驚心、環境被破壞的畫面。閱讀完這篇文章，請你重新思考：從此刻起，可以為這塊我們所愛的土地做什麼改變？

大道是被什麼隱蔽了，而產生了真與假？
言語是被什麼掩蓋了，而產生了是與非？
大道為什麼曾經出現而又不復存在？
言語又為什麼存在卻無法被認可？

《莊子．齊物論》選

—莊子—

《莊子·齊物論》選。

夫隨其成心而師之，誰獨且無師乎？奚必知代而心自取者有之？愚者與有焉！未成乎心而有是非，是今日適越而昔至也。是以無有為有。無有為有，雖有神禹，且不能知，吾獨且奈何哉！

白話版

如果說人們都用自己的成見作為判斷是非的標準，那麼又有誰會沒有自己的標準呢？所以何止是通曉事理的智者有自己的標準？即便是愚昧的人也一樣有自己的標準呢！

如果說是非的判斷不是來自於人們原本的成見，那就好比「今天啟程去越國，而昨天就已經到達」一般，是無中生有的說法。無中生有的說法即便是聖人大禹也無法理解，我又如何能夠理解呢！

夫言非吹也。言者有言，其所言者特未定也。果有言邪？其未嘗有言邪？其以為異於鷇音，亦有辯乎，其無辯乎？

道惡乎隱而有真偽？言惡乎隱而有是非？道惡乎往而不存？言惡乎存而不可？道隱於小成，言隱於榮華。故有儒、墨之是非，以是其所非，而非其所是。欲是其所非而非其所是，則莫若以明。

白話版

人們覺得自己的言語不同於風吹造成的聲響，是有意義的。但即使大家議論紛紛，卻往往沒有辦法得到一個定論。如此一來，大家真的說了些什麼嗎？還是等於什麼都沒說呢？人們覺得自己的言語不同於小鳥嘰嘰喳喳的叫聲，是有意義的。但事實上真的不同嗎？還是其實沒什麼兩樣呢？

大道是被什麼隱蔽了，而產生了真與假？言語是被什麼掩蓋了，而產生了是與非？大道為什麼曾經出現而又不復存在？言語又為什麼存在卻無法被認可？大道被小有成就的道理所隱蔽，言語被華麗的詞藻所掩蓋。所以儒家與墨家間的爭論，往往是對方肯定的東西我就否定，對方否定的東西我就肯定。與其這樣，還不如捨棄成見，去觀察和認識事物的本然面貌。

物無非彼，物無非是。自彼則不見，自知則知之。故曰：彼出於是，是亦因彼。彼是方生之說也。雖然，方生方死，方死方生；方可方不可，方不可方可；因是因非，因非因是。是以聖人不由，而照之于天，亦因是也。

是亦彼也，彼亦是也。彼亦一是非，此亦一是非。果且有彼是乎哉？果且無彼是乎哉？彼是莫得其偶，謂之道樞。樞始得其環中，以應無窮。是亦一無窮，非亦一無窮也。故曰「莫若以明」。

白話版

各種事物無不存在它自身對立的那一面，各種事物也無不存在它自身對立的這一面。從事物相對立的那一面看便看不見這一面，從事物相對立的這一面看就能有所認識和了解。所以說：事物的那一面出自事物的這一面，事物的這一面亦起因於事物的那一面。事物對立的兩個方面是相互並存、相互依賴的。雖然這樣，事物剛剛產生即便趨向消亡，剛剛消亡隨即又會有新的產生；剛剛肯定隨即就是否定，剛剛否定隨即又予以肯定；依托正確的一面，同時也就遵循了謬誤的一面，依托謬誤的一面，同時也就遵循了正確的一面。因此聖人不去論斷是非，而是觀照事物的本然，尊重事物自身的情態。

事物的這一面也就是事物的那一面，事物的那一面也就是事物的這一面。事物的那一面存在是與非，事物的這一面也同樣存在是與非。事物彼此兩個方面真的有所區別嗎？或是兩者其實根本沒有什麼不同？不要將彼與此視為對立的兩個面向，這就是大道的樞紐了。一旦掌握了大道的樞紐，也就抓住了事物的關鍵，能夠順應事物無窮無盡的變化。「是」是無窮的，「非」也是無窮的，所以說不如捨棄成見，去觀察和認識事物的本然面貌。

——白話版由黃國珍翻譯。

當東方的莊子遇上西方的蘇格拉底，會發生什麼事？

我們終於讀完這本書的最後一篇文章，我相信對有些讀者來說，〈齊物論〉這篇文章要說明的事情很抽象，不好理解。別擔心，莊子寫的這篇〈齊物論〉就算在大學課堂中，也需要經過一整學期的課程來做反覆討論與詮釋。那麼我選這篇文章的目的是什麼？一方面如我在這本書一開頭的序裡所說，容易的事你早就懂了，現在應該是讀一些你可能不熟悉的故事，開始思考將會對你影響很深的事。

另一方面，我從〈齊物論〉中擷取出來的這個段落裡，莊子試著要說明一件重要的事：「萬物存在有它的道理，但是我們的主觀想法，只會讓我們在形成這萬物存在的大道理中，看到我們可以理解、可以解釋或符合我們想法的部分，正因為這原因，所以這世界有了差異，而『道』也漸漸在人們、辯論的話語論說中隱沒」。所以莊子才在這段內容的最後說：「與其這樣，還不如捨棄成見，去觀察和認識事物的本然面貌」，別掉進去他人的觀點或自己還沒有明確認知就產生的主觀好惡之中。

在莊子生活的年代，位於地中海邊的希臘，有一位偉大的哲學家蘇格拉底（Socrates）說過一句很重要的話：「我只知道一件事，就是我什麼都不知道」。這兩位東西方偉大的哲學家，不約而同地都想告訴我們，不要掉進自己的主觀裡，而這世界的真實面貌和那被許多對立觀點掩蔽的萬物之道，正等待我們去認識啊！

用自己的眼睛去看見、用自己的頭腦去思考、用自己的心去理解、去超越自我的主觀……這就是我編這本書的原初想法。

成長與學習必備的元氣晨讀

親子天下執行長　何琦瑜

一九八八年，大塚笑子是日本普通高職的體育老師。在她擔任導師時，看到一群在學習中遇到挫折、失去學習動機的高職生，每天在學校散漫恍神、勉強度日，快畢業時，才發現自己沒有一技之長。出外求職填履歷表，「興趣」和「專長」欄只能一片空白。許多焦慮的高三畢業生回頭向老師求助，大塚老師鼓勵他們，可以填寫「閱讀」和「運動」兩項興趣。因為有運動習慣的人，讓人覺得開朗、健康、有毅力；有閱讀習慣的人，就代表有終生學習的能力。

但學生們還是很困擾，因為他們根本沒有什麼值得記憶的美好閱讀經驗，深怕面試的老闆細問：那你喜歡讀什麼書啊？大塚老師於是決定，在高職班上推動晨間閱讀。概念和做法都很簡單：每天早上十分鐘，持續一週不間斷，讓學生讀自己喜歡的書。一開始，為了吸引學生，她會找劇團朋友朗讀名家作品，每週一次介紹好的文學作家故事，引領學生逐漸進入閱讀的桃花源。

沒想到不間斷的晨讀發揮了神奇的效果：散漫喧鬧的學生安靜了下來，他們上課比以前更容易專心，考試的成績也大幅提升了。這樣的晨讀運動透過大塚老師的熱情，一傳十、十傳百，最後全日本有兩萬五千所學校全面推行。正式統計發現，近十年來日本中小學生平均閱讀的課外書本數逐年增加，各方一致歸功於大塚老師和「晨讀10分鐘」運動。

臺灣吹起晨讀風

二〇〇七年，《親子天下》出版了《晨讀10分鐘》一書，透過雜誌分享晨讀運動的影響與策略，找到大塚笑子老師來臺灣分享經驗，獲得極大的迴響。我們更進一步和教育部合作，募集一百所晨讀種子學校，希望用晨讀「解救」早自習，讓孩子一天的學習，從閱讀自己喜歡的一本書開始暖身。

推動晨讀運動的過程中，我們發現，對於剛開始進入晨讀，沒有長篇閱讀習慣的學生，特別是少年讀者，的確需要一些短篇的散文或故事，幫助他們起步，在閱讀中有盡興的成就感。

這些短篇文字絕不能像教科書般無聊，也別總是停留在淺薄的報紙新聞，才能讓新手讀者像上癮般養成習慣。如果幸運的遇到熱愛閱讀的老師和家長，一些有足夠深度的文本還能引起師生、親子之間，餘韻猶存的討論。

這樣的需求，激發出【晨讀10分鐘】系列的企劃。在當今升學壓力下，許多中學生每天早上到學校，迎接他的是考不完的測驗卷。我們希望用晨讀打破中學早晨窒悶的考試氛圍。每日定時定量的閱讀，不僅是要讓學習力加分，更重要的是讓心靈茁壯、成長。在學校，晨讀就像是在吃「學習的早餐」，為一天的學習熱身醒腦；在家裡，不一定是早晨，任何時段，每日不間斷、固定的家庭閱讀時間，也會為全家累積生命中最豐美的回憶。

【晨讀10分鐘】系列，透過知名的作家、選編人，為少年兒童讀者編選類型多元、有益有趣的好文章。這個系列創始至今七年，我們邀請了學養豐富的各領域作家、專家、達人，例如張曼娟、廖玉蕙、王文華、方文山、楊照、劉克襄、殷允芃等，編撰出共二十九本，不同主題、類型文章的選文集。

每天一篇人物故事，讓孩子勇敢成為自己

二〇一七年的【晨讀10分鐘】新企畫，把選文關注的領域擴張到文學之外，特別邀請臺灣大學電機系教授，同時身兼創業家的葉丙成，選編《我的成功，我決定》，精選二十二個「非典型成功」人物故事，重新探問「成功」的定義。長期的應試教育，培養出一整代缺乏自我探索，只為考試和成績讀書的年輕人，拿掉考試與成績，離開學校與學歷，學生們便不知為何而學？如何定義自己的成功？如何找到人生的意義感？

透過選文的架構，長期關注年輕世代的葉丙成，想要打破舊時代對於「成功」等於「學歷」或「名利」的追求窠臼，突顯新時代的三個成功方程式：從興趣和天分出發，在失敗中學習前進，找到利他的社會貢獻。在二十二個人物故事中，動人的片刻，不是成功帶來的權力或結果，而是在歷程中，主角們如何反思失敗的意義，在不被理解的挫折時挺身而進，在為理想搏鬥的痛苦中，突圍而出。

在議題戰場延燒對立的二〇一七年，我們也特別邀請專研閱讀策略與閱讀理解、現任品學堂總編輯黃國珍老師，選編《你的獨特，我看見》，希望引領少年認識世界的多元，同理他

人的情感，學習尊重並理解看似對立的「差異」。我們希望，在臺灣社會從單一價值到多元價值、衝突不斷的轉型過渡期中，透過閱讀提供給少年讀者多元的觀點與寬闊的胸懷，讓下一代更有勇氣「成為」他自己，也懂得接納不一樣的他人。

推動晨讀的願景

在日本掀起晨讀奇蹟的大塚老師，在臺灣演講時分享：「對我來說，不管學生在哪個人生階段……，我都希望他們可以透過閱讀，讓心靈得到成長，不管遇到什麼情況，都能勇往直前，這就是我的晨讀運動，我的最終理想。」

這也是【晨讀10分鐘】這個系列叢書出版的最終心願。

推薦文一

從故事走向文學，從閱讀走向理解

臺中市惠文高中教師　蔡淇華

在歐、美、日、港的長期推行和研究都證實，「晨讀10分鐘」是引發青少年喜歡閱讀、沉潛品性、與提升自我的最有效運動。而臺灣也推廣晨讀多年，但為何二〇一六年底甫公布的二〇一五PISA國際學生能力評量成績，臺灣學生「閱讀素養」表現大幅退步，竟從第八名退步到第二十三名？

在教育現場多年，我必須很沉痛的說，即使臺灣有許多像鹿鳴國中楊志朗老師一樣，利用閱讀大幅提高升學績效，翻轉學生與學校命運的實例，然而臺灣仍有八〇%的老師不相信閱讀。他們將晨間全排給了考試，閱讀教育是「玩假的」。就算全校安排晨讀時間，老師還是會像躲貓貓一樣，在推動晨讀的行政單位巡堂時，會「好心」提醒學生：「趕快將考卷收起來。」

但弔詭的是，現在連升學考試都是「閱讀導向」，一般沒有閱讀習慣與閱讀理解的學生，一看到長長的題幹，早就棄甲曳兵、不戰而敗。

臺灣自一〇六學年度開始，早自習的時段將逐年走入歷史，但不代表這是推廣閱讀最壞的時代。相反的，今日可能是閱讀最好的時代，因為更多學校警覺到推廣閱讀的刻不容緩，更大力推廣閱讀。例如個人服務的學校，已明定下學期取消早自習，但同一時間，卻是有史以來，國文老師第一次合作將閱讀納入正式課程。

但課程不比活動，課程需要教材，更需要方法。

有鑑於此，二〇一〇年起，親子天下邀請了學養豐富的張曼娟、廖玉蕙、王文華、方文山、楊照、殷允芃、劉克襄等作家，為中學生推出不同類型的選文主題。二〇一七年邀請品學堂總編輯黃國珍老師選編《你的獨特，我看見》，更是一本好看，提供不同視角，幫學生釐清生命的好書。

在輯一〈我看見〉中，我們在〈用手走路的發明王〉劉大潭、〈在愛裡，我逆著光飛翔〉黃裕翔、〈我的11年移工青春〉Liena、與艾瑪．華森的〈爭取兩性平權：捨我其誰？更待何時？〉文中，看見了人與人間的身體差異、國籍差異、與兩性差異。

輯二〈我思考〉、輯三〈我理解〉、輯四〈我超越〉中，更是篇篇動人肺腑的好文，例如輯三尉天驄先生的〈眾神〉：

我想起了中國鄉間所信奉的一些神。我有位朋友是研究社會學的。據他調查，僅僅在臺北的萬華一帶，人們所信奉的神就有十幾種之多。這些神嚴格來說都不是屬於宗教的，他們只是某某年代的人，因為在某些地方做了某些事，那裡的人由於感激便一代一代紀念下去，久而久之，便成了那個地方的守護神……

這平淡的文字幫我們理解，原來臺灣的眾神，嚴格來說都不屬於宗教，而是屬於人間情意，那些不想忘記、被「神格化」的深情與深意。

又例如輯四林白夫人的〈別了，海濱——帶回大海的智慧〉中，林白夫人點出人類共同的困境：

我們每個人做為一個單一的個體，根本無法應付太多的其他個體，因此才索性將其他的個體都簡化成抽象的名詞「大眾」。我們因為應付不了現存的種種複雜問題，所以常常跳過了現在，活在過度簡化的未來之夢中……

但林白夫人也提出了「超越自己」的建議：

當我們回到生命的中心之後，才能找到向外擴展的基礎，也才能在「此刻」找到快樂、在「此地」找到平靜，並且在自身與他人身上找到愛，在人間建造天堂。

如同一〇六年會考作文「在這樣的傳統習俗裡，我看見……」，「看見差異」只是破題的第一步，還必須做到如黃國珍老師在這本書中提出的方法：〈我看見〉、〈我思考〉、〈我理解〉、與〈我超越〉等四個步驟，才能夠在閱讀與寫作中看見萬物、思考差異、理解生命、進而超越自我。

十九位不同作者的生命故事，黃國珍老師的《你的獨特，我看見》，是一本從故事走向文學，從閱讀走向理解，可以利用每日十分鐘閱讀，改變青少年一生的必讀之書。關心孩子、重視閱讀的師長，千萬不要錯過！

一推薦文一

差異，獨一無二的閱讀風景

新北市丹鳳高中教師　宋怡慧

TEDxTaipei策展人許毓仁曾說：「最精彩的故事不是那些已經成名者的錦上添花，而是那些行僧者走在修行的道路，堅持著，揮汗前行。無論晴天雨天，在這條道路上他們引著光，向它前進，不曾放棄，向汗水淚水低頭，他們不被看見，直到他們站上舞臺的那一刻，照亮大家，即使是只有短短八分鐘。」

如果說，素人開講是臺灣母土故事的生命力，那麼，細觀黃國珍晨讀10分鐘的選文系譜，可看出編者企圖讓讀者在文字的彷彿若有光的指引下，找到成長的意義，覺察面對差異的態度，從自我認同邁向多元思辨的世界。

每一本書都有讀懂它的讀者，每個讀者也有自己的生命之書，年輕的孩子沉浸在晨讀的寧靜氤氳裡，他能以何種形式，與何種文字邂逅與相知？

黃國珍看重每個生命都是獨一無二的奇蹟，編輯架構具有系統也大膽地在選文脈絡裡，放入差異思辨的元素，讓讀者優游篇章事理之餘，也找到悅納自己，與人相知，溝通互動，共生共好的閱讀風景。

黃國珍從「我看見」、「我思考」、「我理解」、「我超越」四個面向，逐步奠基閱讀的內蘊，提升閱讀的層次，以十九位作者的生命故事，進行議題的討論，加入作家生平，娓娓道來自己對文本立基的論述與感受，讓讀者在閱讀自學的時空中，循循善誘地成為能理性地思考，有證有據地論述、批判的讀者。

「我看見」讓讀者從外顯差異到角色互位，找到同理的橋樑；「我思考」讓讀者看見街友、移工、新住民、原住民、死囚的另一種生活，即便陷入困境，曾經與暗黑為伍，願意改變，都有超越所限的可能；「我理解」讓讀者理解大改樂團重生的意義、理解人與土地難以割捨的情感，明白生命最大的快樂是在別人的需要上，看見自己的責任，找到願意付出的喜悅。「我超越」則是讓讀者體悟：天地大有美而不言，四時有明法而不議；萬物有成理而不說，思考人與我、存在與生死等抽象的哲學問題。

我們在文字中理解人是萬物的尺度，對萬物產生同理共感。在燦爛又孤獨的生命中，相信美好的時刻都曾溫柔地為我們駐足過。一如每日打開一本書的美好，一如文字帶給我們樸實無華的真實力量，這個城市有書，就覺得溫暖，謝謝國珍為我們編輯這樣美好的一本書，讓世界多了一個美麗的角落，可以休憩、可以思考、可以閱讀。

晨讀10分鐘系列 029

[中學生]
晨讀10分鐘
你的獨特，我看見

選編人／黃國珍
作者／黃春明、尉天驄、呂政達等
繪者／飛飛飛

責任編輯／黃麗瑾、張文婷
封面・內文設計／東喜設計
行銷企劃／葉怡伶

天下雜誌群創辦人／殷允芃
董事長兼執行長／何琦瑜
媒體暨產品事業群
總經理／游玉雪　副總經理／林彥傑
總編輯／林欣靜
行銷總監／林育菁　副總監／李幼婷
版權主任／何晨瑋、黃微真

出版者／親子天下股份有限公司
地址／台北市104建國北路一段96號4樓
電話／（02）2509-2800　傳真／（02）2509-2462
網址／www.parenting.com.tw
讀者服務專線／（02）2662-0332　週一～週五：09:00~17:30
讀者服務傳真／（02）2662-6048
客服信箱／parenting@cw.com.tw
法律顧問／台英國際商務法律事務所・羅明通律師
製版印刷／中原造像股份有限公司
總經銷／大和圖書有限公司　電話／（02）8990-2588

出版日期／2017年7月　第一版第一次印行
2024年6月　第一版第十七次印行
定價／320元
書號：BKKCI002P
ISBN：978-986-94983-5-7（平裝）

國家圖書館出版品預行編目（CIP）資料

晨讀10分鐘：你的獨特，我看見／黃春明等作；飛飛飛繪. -- 第一版. -- 臺北市：親子天下，2017.07
268面；14.8x21公分. --（中學生晨讀10分鐘系列；29）
ISBN 978-986-94983-5-7（平裝）

859.7　106009886

照片出處：One-Forty社團法人臺灣四十分之一移工教育文化協會（P.59）、shutterstock（P.17、P.108）、親子天下曾千倚攝（P.31）、親子天下劉潔萱攝（P.140）